崇文館
家庭典藏

崇文国学经典
普及文库

# 唐宋八大家文选

段青峰◎译

长江出版传媒
崇文书局

# 唐宋八大家文选

图书在版编目（CIP）数据

唐宋八大家文选 / 段青峰注译 .
—武汉 ： 崇文书局， 2017.1
（崇文国学经典普及文库）
ISBN 978-7-5403-4273-9
Ⅰ. ①唐…
Ⅱ. ①段…
Ⅲ. ①唐宋八大家－古典散文－散文集
Ⅳ. ① I264.2
中国版本图书馆 CIP 数据核字（2016）第 261868 号

出品人　潘启胜

统　　筹　陈中琼
责任编辑　陈春阳

出版发行　长江出版传媒｜崇文书局
地　　址　武汉市雄楚大街 268 号 C 座 11 层
电　　话　(027)87293001　邮政编码　430070

印　　刷　湖北恒泰印务有限公司
开　　本　889×1194　1/32
印　　张　6.25
字　　数　140 千字
版　　次　2017 年 1 月第 1 版
印　　次　2017 年 1 月第 1 次印刷
定　　价　21.80 元
（如发现印装质量问题，影响阅读，请与承印厂调换）

# 总序

现代意义的“国学”概念，是在19世纪西学东渐的背景下，为了保存和弘扬中国优秀传统文化而提出来的。1935年，王缁尘在世界书局出版了《国学讲话》一书，第3页有这样一段说明：“庚子义和团一役以后，西洋势力益膨胀于中国，士人之研究西学者日益众，翻译西书者亦日益多，而哲学、伦理、政治诸说，皆异于旧有之学术。于是概称此种书籍曰‘新学’，而称固有之学术曰‘旧学’矣。另一方面，不屑以旧学之名称我固有之学术，于是有发行杂志，名之曰《国粹学报》，以与西来之学术相抗。‘国粹’之名随之而起。继则有识之士，以为中国固有之学术，未必尽为精粹也，于是将‘保存国粹’之称，改为‘整理国故’，研究此项学术者称为‘国故学’……”从“旧学”到“国故学”，再到“国学”，名称的改变意味着褒贬的不同，反映出身处内忧外患之中的近代诸多有识之士对中国优秀传统文化失落的忧思和希望民族振兴的宏大志愿。

从学术的角度看，国学的文献载体是经、史、子、集。崇文书局的这一套国学经典普及文库，就是从传统的经、史、子、集中精选出来的。属于经部的，如《诗经》《论语》《孟子》《周易》《大学》《中庸》《左传》；属于史部的，如《战国策》《史记》《三国志》《贞观政要》《资治通鉴》；属于子部的，如《道德经》《庄子》《孙子兵法》《鬼谷子》《世说新语》《颜氏家训》《容斋随笔》《本草纲目》《阅微草堂笔记》；属于集部的，如《楚辞》《唐诗三百首》《豪放词》《婉约词》《宋词三百首》《千家诗》《元曲三百首》《随园诗话》。这套书内容丰富，而分量适中。一个希望对中国优秀传统文化有所了解的人，读了这些书，一般说来，犯常识性错误的可能性就很小了。

崇文书局之所以出版这套国学经典普及文库，不只是为了普及国学常识，更重要的目的是，希望有助于国民素质的提高。在国学教育中，有一种倾向需要警惕，即把中国优秀的传统文化“博物馆化”。“博物馆化”是20世纪中叶美国学者列文森在《儒教中国及其现代命运》中提出的一个术语。列文森认为，中国传统文化在很多方面已经被博物馆化了。虽然中国传统的经典依然有人阅读，但这已不属于他们了。“不属于他们”的意思是说，这些东西没有生命力，在社会上没有起到提升我们生活品格的作用。很多人阅读古代经典，就像参观埃及文物一样。考古发掘出来的珍贵文物，和我们的生命没有多大的关系，和我们的生活没有多大关系，这就叫作博物馆化。“博物馆化”的国学经典是没有现实生命力的。要让国学经典恢复生命力，有效的方法是使之成为生活的一部分。崇文书局之所以强调普及，深意在此，期待读者在阅读这些经典时，努力用经典来指导自己的内外生活，努力做一个有高尚的人格境界的人。

国学经典的普及，既是当下国民教育的需要，也是中华民族健康发展的需要。章太炎曾指出，了解本民族文化的过程就是一个接受爱国主义教育的过程："仆以为民族主义如稼穑然，要以史籍所载人物制度、地理风俗之类为之灌溉，则蔚然以兴矣。不然，徒知主义之可贵，而不知民族之可爱，吾恐其渐就萎黄也。"(《答铁铮》)优秀的传统文化中，那些与维护民族的生存、发展和社会进步密切相关的思想、感情，构成了一个民族的核心价值观。我们经常表彰"中国的脊梁"，一个毋庸置疑的事实是，近代以前，"中国的脊梁"都是在传统的国学经典的熏陶下成长起来的。所以，读崇文书局的这一套国学经典普及读本，虽然不必正襟危坐，也不必总是花大块的时间，更不必像备考那样一字一句锱铢必较，但保持一种敬重的心态是完全必要的。

期待读者诸君喜欢这套书，期待读者诸君与这套书成为形影相随的朋友。

陈文新

（教育部长江学者特聘教授，武汉大学杰出教授）

# 前言

在我国古代散文的百花园中，有一束最璀璨夺目的奇葩，那就是唐宋八大家的散文。自从明代的朱右、茅坤等人把唐朝的韩愈、柳宗元以及北宋的欧阳修、曾巩、王安石、苏洵、苏轼、苏辙称为“唐宋八大家”以来，“八大家”之名始著，而人们对八大家的散文也更为关注、推崇。

人们为什么如此钟爱和推崇八大家的散文呢？这大概与八大家能够在当时披荆斩棘、勇创新天地密切相关。韩、柳当世之际，魏晋南北朝以来盛行的骈文，仍然深深地影响着唐代文坛。骈文着意于形式的讲究，以辞藻的华美、对偶的工整和典故的运用相尚，凭借骈辞俪句掩盖思想内容的空虚颓靡。为了打破这种局面，韩、柳共同领导了唐代的古文运动，主张上继先秦两汉散文的优良传统，用长短不拘、抒写自由的语言，来反映丰富多彩的现实生活，表达深刻真切的人生感受。唐代古文运动成绩斐然，却后继乏人，迄至五代宋初，西昆体粉墨登场，颓靡文风大有卷土重来之势，一时之间，浮艳相高、雕章丽句之文风靡一时。当此之时，欧阳修高擎诗文革新运动的大旗，与曾巩、王安石以及三苏父子一道，写下了大量匡救时弊、怡情山水、独抒灵性的精文妙品，使宋文走上健康的发展道路。

这个八大家散文选本，限于篇幅，主要选录的是唐宋八大家文中一些富有思想教育意义和艺术上具有借鉴性、启发性的作品，广大青少年朋友通过对相关文章的了解和学习，从中可以陶冶情操、揣摩文理，并充分领略古代散文的文章之美。

我们希望将一个上佳的文本奉献给广大青少年朋友，但因识见有限，而好文章又太多，选文篇目难免挂一漏万，题解和译文中也可能存在不尽如人意之处，敬请广大读者朋友批评指正。

目录

# 韩　愈

韩愈(768－824)，字退之，河南河阳(今河南省孟州市)人。郡望昌黎，世称“韩昌黎”。三岁而孤，由兄嫂抚养成人。唐德宗贞元八年(792)进士，曾任监察御史、国子博士等职。因上书言宫市之弊及谏迎佛骨事，先后被贬为阳山令和潮州刺史。后官至刑部侍郎、吏部侍郎。卒谥“文”，人称韩文公。

韩愈是唐代古文运动的领袖，他猛烈反对六朝以来“饰其辞而遗其意”的骈文，极力提倡两汉以前那种语言长短不拘、抒写自由、文以载道的古体散文。韩愈对自己的文学主张躬亲实践，其写下的文章，有许多足为后人师范者，不愧苏轼赞他“文起八代之衰，道济天下之溺”。其诗文收入《韩昌黎集》。

## 师　说

**【题解】**

本文阐述了从师的重要意义和必要性，并提出了从师的基本原则：道之所存，师之所存。从而冲破了从师时看重老师的身份、地位、名气、年龄、资历等陋习，只拜贤者、能者为师。文章运用了多重对比的论证方法，从各个侧面展开了充分的论述。

【原文】

古之学者必有师。师者，所以传道、受业、解惑也。人非生而知之者，孰能无惑？惑而不从师，其为惑也，终不解矣。生乎吾前，其闻道也固先乎吾，吾从而师之；生乎吾后，其闻道也亦先乎吾，吾从而师之。吾师道也，夫庸知其年之先后生于吾乎？是故无贵无贱，无长无少，道之所存，师之所存也。

嗟乎！师道之不传也久矣，欲人之无惑也难矣。古之圣人，其出人也远矣，犹且从师而问焉；今之众人，其下圣人也亦远矣，而耻学于师。是故圣益圣，愚益愚。圣人之所以为圣，愚人之所以为愚，其皆出于此乎？爱其子，择师而教之；于其身也，则耻师焉，惑矣！彼童子之师，授之书而习其句读者也，非吾所谓传其道、解其惑者也。句读之不知，惑之不解，或师焉，或不焉，小学而大遗，吾未见其明也。巫、医、乐师、百工之人，不耻相师。士大夫之族，曰师曰弟子云者，则群聚而笑之。问之，则曰："彼与彼年相若也，道相似也，位卑则足羞，官盛则近谀。"呜呼！师道之不复可知矣。巫、医、乐师、百工之人，君子不齿。今其智乃反不能及，其可怪也欤！

圣人无常师。孔子师郯子、苌弘、师襄、老聃。郯子之徒，其贤不及孔子。孔子曰："三人

**行，则必有我师。”是故弟子不必不如师，师不必贤于弟子。闻道有先后，术业有专攻，如是而已。**

**李氏子蟠，年十七，好古文，六艺经传皆通习之，不拘于时，学于余。余嘉其能行古道，作《师说》以贻之。**

**【译文】**

古代求学的人必定有老师。老师，是传授道理、讲授学业、解答疑难的人。人没有天生就懂得道理的，谁能没有疑惑呢？有了疑惑却不跟老师学习，他的疑惑就始终不能解决。出生比我早的人，他懂得道理本来就比我早，我应该向他学习；出生比我晚的人，他懂得道理也可能比我早，我也应该向他学习。我学习的是道理，哪里管他年纪比我大还是比我小呢？因此，无论高贵的还是卑贱的，不管年纪大的还是年纪小的，道理在谁那里，谁就是我的老师。

唉！求师的道理已经失传很久了，想要人们没有疑难是很困难的。古代的圣人，他们超出一般人很远，尚且跟从老师，向他求教。现在的一般人，他们比圣人差多了，却把向老师学习当做耻辱。因此，圣人更加圣明，愚人更加愚笨。圣人之所以成为圣人，愚人之所以成为愚人，大概都是由于这个缘故吧！有些人疼爱自己的孩子，选择老师来教他们；对于他自己，却把从师学习当做耻辱，糊涂啊！那些小孩子的老师，教他们写字读书，不是我所讲的那种传授道理、解答疑难的老师。不懂得断句，就向老师学习，疑难不能解决，却不向老师请教，小的方面去学习，大的方面却遗漏了，我看不出他聪明在什么地方。巫师、医生、乐师、工匠这些人，不把相互学习当做耻辱。士大夫这类人，称谁老师、称谁学生时，就有人聚在一起讥笑人家。问他们为什么讥笑人家，他们就说："他们之间年龄差不多，学识也相仿，拜地位卑微的人为师就觉得羞耻，称官位高的人为师就跟阿谀奉承差不多。"唉！从师学习的传统得不到恢复，由此可知了。巫、医、乐师、工匠这些人，君子看不起他们。现在君子们的才智反而不如他们，这不太奇怪了吗？

圣人没有固定的老师。孔子曾向郯子、苌弘、师襄、老聃学习。郯子这些人，他们的贤能比不上孔子。孔子说："三人同行，其中必定有可以做我老师的。"因此，学生未必不如老师，老师不一定胜过学生。懂得道理有先有后，学业本领各有所长，不过是这样而已。

李家的孩子名叫蟠，年纪十七岁，喜爱古文，六艺经传都学完了，他不被时俗所拘束，向我学习。我赞赏他能够发扬古代的优良传统，写了《师说》送给他。

## 杂说四

**【题解】**

本文叙说了千里马不为相马者所识，以致千里马辱于奴隶人之手，骈死于槽枥之间的悲惨遭遇，痛切地讽刺了封建统治者埋没人才、摧残人才的现象，表达了作者对建立一种公正健全的识拔优秀人才的社会机制的强烈呼唤。文中以马喻人，说理巧妙生动。

**【原文】**

世有伯乐，然后有千里马。千里马常有，而伯乐不常有。故虽有名马，祇辱于奴隶人之手，骈死于槽枥之间，不以千里称也。

马之千里者，一食或尽粟一石，食马者不知其能千里而食也。是马也，虽有千里之能，食不饱，力不足，才美不外见，且欲与常马等不可得，安求其能千里也！

策之不以其道，食之不能尽其材，鸣之而不能通其意。执策而临之曰："天下无马。"呜呼！其真无马邪？其真不知马也！

**【译文】**

世上有了伯乐，然后才发现了千里马。千里马经常有，伯乐却不常有。因此即使有了名马，也只会辱没在养马的和驾驭马的人手里，在马厩里和普通的马一样死去，不会以千里马著称。

马中能日行千里的，一次或许能吃完一石粟，喂马的人不知道它能日行千里而饲养它。这种马，虽然有日行千里的能力，但吃不饱，力气不足，才能和优点就显示不出来，即使想要和普通的马一样都不可能，怎么能要求它日行千里呢！

驾驭它时不按照它的习性，喂养它时不满足它的食量，它鸣叫时也

不能通晓它的意思,还拿着鞭子对着它说:“天下没有好马。”唉!难道真的没有好马吗?恐怕是真的不认识好马啊!

## 进 学 解

**【题解】**

此文采用师生问答的形式,在阐述学业、品行与功名的关系的同时,巧妙地讽刺了封建统治者抑贤不用的黑暗现实。本文运思巧妙,含而不露,而且引喻生动,妙语连珠。

**【原文】**

国子先生晨入太学,招诸生立馆下,诲之曰:“业精于勤,荒于嬉;行成于思,毁于随。方今圣贤相逢,治具毕张,拔去凶邪,登崇畯良。占小善者率以录,名一艺者无不庸。爬罗剔抉,刮垢磨光。盖有幸而获选,孰云多而不扬?诸生业患不能精,无患有司之不明;行患不能成,无患有司之不公。”

言未既,有笑于列者曰:“先生欺余哉!弟子事先生,于兹有年矣。先生口不绝吟于六艺之文,手不停披于百家之编。记事者必提其要,纂言者必钩其玄。贪多务得,细大不捐。焚膏油以继晷,恒兀兀以穷年。先生之于业,可谓勤矣。觝排异端,攘斥佛老。补苴罅漏,张皇幽眇。寻坠绪之茫茫，独旁搜而远绍；障百川而东之，回狂澜于既倒。先生之于儒，可谓有劳矣。沈浸醲郁，含英咀华；作为文章，其书满家。上规姚姒，浑浑无涯，周诰殷盘，佶屈聱牙，《春秋》谨严，《左氏》浮夸，《易》奇而法，《诗》正而葩；下逮《庄》、《骚》，太史所录，子云、相如，同工异曲。先生之于文，可谓闳其中而肆其外矣。少始知学，勇于敢为。长通于方，左右具宜。先生之于为人，可谓成矣。然而公不见信于人，私不见助于友。跋前踬后，动辄得咎。暂为御史，遂窜南夷。三年博士，冗不见治。命与仇谋，取败几时。冬暖而儿号寒，年丰而妻啼饥。头童齿豁，竟死何裨！不知虑此，而反教人为？”

先生曰：“吁！子来前！夫大木为杗，细木为桷，欂栌侏儒，椳闑扂楔，各得其宜，施以成室者，匠氏之工也。玉札丹砂，赤箭青芝，牛溲马勃，败鼓之皮，俱收并蓄，待用无遗者，医师之良也。登明选公，杂进巧拙，纡余为妍，卓荦为杰，校短量长，惟器是适者，宰相之方也。昔者孟轲好辩，孔道以明，辙环天下，卒老于行。荀卿守正，大论是弘，逃谗于楚，废死兰陵。是二儒者，吐辞为经，举足为法，绝类离伦，优入圣域，其遇于世何如也？今先生学虽勤而不繇其统，言虽多而不要其中，文虽奇而不济于用，行虽修而不显于众。犹且月费俸钱，岁靡廪粟。

子不知耕，妇不知织。乘马从徒，安坐而食。踵常途之促促，窥陈编以盗窃。然而圣主不加诛，宰臣不见斥，兹非其幸欤！动而得谤，名亦随之。投闲置散，乃分之宜。若夫商财贿之有亡，计班资之崇庳，忘己量之所称，指前人之瑕疵，是所谓诘匠氏之不以杙为楹，而訾医师以昌阳引年，欲进其豨苓也。”

【译文】

国子先生早晨走进太学，召集学生们站在学馆下，教导他们说：“学业精通在于勤奋，学业荒废是由于玩乐；德行的修成在于经常反思，德行的毁败是由于苟且因循。现在贤臣辅佐圣君，法制政令齐备，拔除奸邪凶恶之徒，提拔任用杰出善良的人。有一点优点的人都已录用，有一技之长的人无不任用。搜罗选拔，锻炼造就。可能有些人是侥幸获选的，谁说学识渊博而没有得到举荐？你们应担心自己的学业不精通，不要担心主管官员不能明察；应担心自己的德行不能修成，不要担心主管官员不公正。”

国子先生话还没说完，在队列中就有人笑着说：“先生是在骗我们！学生跟随先生学习，到现在好多年了。先生口中不停地吟诵六经的文章，手不停地批阅诸子百家的著作。对于纪事的史传必定提取它的要点，对于说理的文章必定分析出其中的深奥道理。不厌其多，务求必得，大小都不放弃。点燃油灯，夜以继日，一年到头，劳累伤神。先生对于学业，可以说是很勤勉了。抵制异端邪说，排斥佛家和道家的思想。弥补儒学的缺漏，阐发儒道的幽妙。寻找早已中断茫无头绪的道统，独自广泛搜求以便继承古圣先贤的事业；好像是防堵横溢的江

河，让它东流入海，把倾泻的狂澜挽转过来。先生对于儒学，可以说是有功劳的。潜心在浓郁醇美的典籍中，细细品味其中的精华；写起文章来，家中堆满了书。往上师法虞夏的著作，深远无涯，《尚书·周书》中的诰文，《尚书·周书》中的《盘庚》，艰深难读，《春秋》谨严简要，《左传》铺陈夸饰，《周易》变化奇妙而符合事理，《诗经》纯正而文辞华美；往下到《庄子》、《离骚》，司马迁的《史记》，扬雄、司马相如的文章，异曲同工。先生对于文章，可以说是内容博大精深，文辞奔放流畅。先生年少时就懂得学习，敢作敢为。长大后通晓处世之道，左右逢源，处处得体。先生对于为人，可以说是很完美的。但是，先生在公的方面不被人家信任，在私的方面得不到朋友的帮助。你进退不是，动不动就获罪遭殃，刚刚担任御史，就被贬黜到南方的边远之地；做了三年的国子博士，职务闲散，显示不出治理政事的才能。这样，你以命运与仇敌打交道，随时都会失败。冬天暖和时，你的孩子叫冷；丰收的年景，你的妻子埋怨吃不饱。你头发脱落了，牙齿缺了，就是死了，又得到了什么好处！先生不懂得考虑这些，反而来教训我们吗？”

先生说：“喂，你到前面来！用大木料做房梁，小木料做方椽、斗拱、短柱、门枢、门框，门闩和门限，各种木料，各得其用，把它们合理安排建成房子，这是木匠的技巧。地榆、朱砂、天麻、青芝、车前草、马屁菌、破鼓皮，贵贱药材，兼收并蓄，到用的时候一样不缺，这是医生的高明。用人明智，选拔公正，各种人才一齐选用，厚重和缓为美好，才具卓越更超群，比较高低，量才任用，这是宰相用人的原则。从前孟轲善于辩论，孔子的思想才得到阐明，他周游列国，车辙遍天下，最终在奔波中度过了一生。荀子信守儒家之道，把儒家学说发扬光大，后来为逃避谗言来到楚国，废黜失官，死在兰陵。这两位大儒，说出话来就成经典，行为成了法则，超群绝伦，进入圣人境界，他们在社会上的遭遇又怎么样呢？现在我学业虽然勤奋，但不能遵循儒家的道统；言论虽多，却不能切中要害；文章虽然奇妙，但不能经世致用；虽然重视品行修养，但没有超过一般人。还每月领取俸禄，终年耗费国库的粮食。子女不会种田，妻子不懂纺织。我骑着马匹，带着仆从，坐享其成，不劳而食；拘谨地走着寻常的路，阅读古籍，从中抄录现成的词句。然而圣明的君主对我不加责罚，宰相对我不加斥逐，难道这不是我的幸运吗？一个人动不动遭到诽谤，名声也随着败坏，安置在闲散的职位上实在是理所当然。至于考虑利禄的有无，计较职位的高低，忘记了自己的能力是否相称，指责前人的缺点和不足，这就如同责问木匠为何不用小木桩做大梁，批评医生给人吃菖蒲延年益寿，却想推荐猪苓去代替一样。”

# 论佛骨表

**【题解】**

人之寿夭，国之治乱，跟事佛与否是没有什么关系的。文中广征博引，说古论今，对最高统治者直言相告：佛不足事。表现了作者非凡的见识与胆略。

**【原文】**

臣某言：伏以佛者，夷狄之一法耳。自后汉时流入中国，上古未尝有也。昔者，黄帝在位百年，年百一十岁；少昊在位八十年，年百岁；颛顼在位七十九年，年九十八岁；帝喾在位七十年，年百五岁；帝尧在位九十八年，年百一十八岁；帝舜及禹，年皆百岁。此时天下太平，百姓安乐寿考，然而中国未有佛也。其后殷汤亦年百岁，汤孙太戊在位七十五年，武丁在位五十九年，书史不言其年寿所极，推其年数，盖亦俱不减百岁；周文王年九十七岁，武王年九十三岁，穆王在位百年。此时佛法亦未入中国，非因事佛而致然也。汉明帝时始有佛法，明帝在位才十八年耳；其后乱亡相继，运祚不长。宋、齐、梁、陈、元魏以下，事佛渐谨，年代尤促。惟梁武帝在位四十八年，前后三度舍身施佛，宗庙之祭，不用牲牢，昼日一食，止于菜果，其后竟为侯景所逼，饿死台城，国亦寻灭。事佛求福，乃更得祸。由此观之，佛不足事，亦可知矣。

高祖始受隋禅，则议除之。当时群臣材识不远，不能深知先王之道、古今之宜，推阐圣明，以救斯弊，其事遂止，臣常恨焉。伏惟睿圣文武皇帝陛下，神圣英武，数千百年以来，未有伦比。即位之初，即不许度人为僧尼道士，又不许创立寺观，臣常以为高祖之志必行于陛下之手；今纵未能即行，岂可恣之转令盛也！今闻陛下令群僧迎佛骨于凤翔，御楼以观。舁入大内，又令诸寺递迎供养。臣虽至愚，必知陛下不惑于佛，作此崇奉，以祈福祥也；直以年丰人乐，徇人之心，为京都士庶设诡异之观，戏玩之具耳。安有圣明若此，而肯信此等事哉！然百姓愚冥，易惑难晓，苟见陛下如此，将谓真心事佛，皆云："天子大圣，犹一心敬信；百姓何人，岂合更惜身命？"焚顶烧指，百十为群；解衣散钱，自朝至暮；转相仿效，惟恐后时，老少奔波，弃其业次。若不即加禁遏，更历诸寺，必有断臂脔身以为供养者；伤风败俗，传笑四方，非细事也。

夫佛本夷狄之人，与中国言语不通，衣服殊制，口不言先王之法言，身不服先王之法服，不知君臣之义，父子之情。假如其身至今尚在，奉其国命，来朝京师，陛下容而接之，不过宣政一见，礼宾一设，赐衣一袭，卫而出之于境，不令惑众也；况其身死已久，枯朽之骨，凶秽之馀，岂宜令入宫禁？

孔子曰："敬鬼神而远之。"古之诸侯，行吊于其国，尚令巫祝先以桃茢祓除不祥，然后进吊。今无故取朽秽之物，亲临观之，巫祝不先，

**桃茢不用，群臣不言其非，御史不举其失，臣实耻之。乞以此骨付之有司，投诸水火，永绝根本，断天下之疑，绝后代之惑，使天下之人知大圣人之所作为，出于寻常万万也。岂不盛哉！岂不快哉！佛如有灵，能作祸祟，凡有殃咎，宜加臣身；上天鉴临，臣不怨悔。无任感激恳悃之至，谨奉表以闻。臣某诚惶诚恐。**

**【译文】**

臣某陈言：臣谨认为佛教不过是外国的一种道法罢了。佛教在东汉时期传入中国，上古时期不曾有过。过去黄帝在位一百年，享年一百一十岁；少昊在位八十年，享年一百岁；颛顼在位七十九年，享年九十八岁；帝喾在位七十年，享年一百零五岁；帝尧在位九十八年，享年一百一十八岁；帝舜和禹都享年一百岁。这个时期天下太平，百姓生活安乐，寿命长，然而那时中国没有佛教。那以后殷汤也享年百岁；汤的孙子太戊在位七十五年，武丁在位五十九年，史书上没有记载他们的年龄，推算他们的年龄，大概都不会少于一百岁；周文王享年九十七岁，周武王享年九十三岁，周穆王在位一百年。这时佛教也没有传入中国，这些帝王不是因为事佛才这样长寿的。东汉明帝时才有佛法，明帝在位只有一十八年；那以后动乱亡国的事相继发生，国运不长。宋、齐、梁、陈、北魏各朝以来，事佛越来越虔诚，但立国的时间和皇帝的寿命特别短促。只有梁武帝在位四十八年，前后三次舍身事佛，宗庙的祭祀不用牛羊猪牲畜，白天进一次食物，只限于蔬菜水果，那以后竟然被侯景困逼，在台城饿死，国家也随着灭亡。事佛是为了求福，反而招来祸患。由此看来，佛值不值得事奉，也就可以知道了。

唐高祖刚接受隋皇的禅让，就与大臣商议要禁除佛教。当时，群臣的才识有限，目光短浅，不能深刻理解先王立国的思想主张以及古代与现在该做的事，推衍阐释高祖的英明主张，来去除由于信佛带来的弊端，这件事就停了下来，臣下常常感到遗憾。臣谨认为，睿圣文武皇帝陛下，神圣英武，几千年以来，无与伦比。即位的初期，就不许剃度人为僧尼道士，又不许建立庙宇道观，臣下常常以为高祖的主张，必将在陛下统治下得到推行；现在即使不能立即施行，怎么可以放纵它、转而让它兴盛起来呢？现在听说陛下命令群僧到凤翔去迎接佛骨，陛下亲自登楼观看；抬入皇宫，又命令各庙轮流供奉。臣下虽然特别愚笨，却必定知道陛下不会被佛教所迷惑，进行如此虔诚的活动，来祈求幸福吉祥；只是因为今年丰收，百姓安乐，顺应民心，为京城的官员和百姓设置奇异的景观，提供游玩娱乐的东西罢了。哪有如此圣明的陛下，却肯相信这样的事呢！然而百姓愚昧冥顽，容易被迷惑，难以明了，如果见到陛下这样做，将认为陛下真心事佛，都会说："天子是大圣人，尚且一心一意虔敬地信奉佛；我们百姓是什么样的人，难道还更应该爱惜自己的身家性命吗？"他们焚灼头顶和手指，几十上百人一群，从早到晚，施舍衣服，散发钱财。百姓互相仿效，唯恐落在后面。老老少少一起奔波，不务正业。如果不加以禁止和遏制，让佛骨经过各庙，必定有人弄断自己的手臂、碎割自己身上的肉来供奉佛骨；伤风败俗，传笑四方，不是件小事呀。

佛原本是外国人，与我国言语不通，衣服式样不相同，嘴里不会说符合先王礼法的话语，身上没穿符合先王礼法的衣服，不知道君臣之间的义、父子之间的情。假如他本人至今还在，奉他的国君的命令，来到京城朝见陛下，陛下宽容他并接见他，也不过在宣政殿召见他，设宴招待，赏赐一套衣服，派卫兵护送他出境，不让他迷惑人们；何况他本人死去已经很久，枯朽的骨头，不吉祥的污秽的残留物，怎么能让它进入皇宫呢？

孔子说过："敬重鬼神，但需离它远远的。"古代的诸侯，在他们的国家举行吊祭时，尚且让巫祝先用扫帚袚除不祥的东西，然后才进行吊祭。现在皇上无缘无故取来污秽的东西，亲临观看它，巫祝不先行，也不用扫帚除去不祥的东西，大臣们不说这样做不对，御史不纠正这样做的过失。我对这件事真感到羞耻。我请求把这些佛骨交给有关部门，把它们投进水中火中，永远断绝祸害的源头，断绝天下及后代的疑惑，让天下人知道大圣人的所作所为，超出一般人万万倍。难道不好吗？难道不是大快人心的事吗？佛如果有灵并能制造祸祟的话，所有的灾殃和罪过，应该落在我身上；上天明鉴，我绝不怨恨后悔。臣下非常感激，十分诚恳，谨奉上这篇表文向陛下报告。臣某诚惶诚恐。

## 毛颖传

**【题解】**

本文写毛颖始而见用、终而见弃的坎坷命运，讽刺了封建统治者对待人才采取前恭后倨、叶公好龙似的态度。文章以物喻人，取意巧妙，说理含蓄蕴藉，富于创意。

**【原文】**

毛颖者，中山人也。其先明眎，佐禹治东方土，养万物有功，因封于卯地，死为十二神。尝曰："吾子孙神明之后，不可与物同，当吐而生。"

已而果然。明眎八世孙𩣑，世传当殷时居中山，得神仙之术，能匿光使物，窃姮娥，骑蟾蜍入月，其后代遂隐不仕云。居东郭者曰㕙，狡而善走，与韩卢争能。卢不及，卢怒，与宋鹊谋而杀之，醢其家。

秦始皇时，蒙将军恬南伐楚，次中山，将大猎以惧楚，召左右庶长与军尉，以《连山》筮之，得天与人文之兆。筮者贺曰："今日之获，不角不牙，衣褐之徒，缺口而长须，八窍而趺居。独取其髦，简牍是资。天下其同书。秦其遂兼诸侯乎！"遂猎，围毛氏之族，拔其毫，载颖而归，献俘于章台宫，聚其族而加束缚焉。秦皇帝使恬赐之汤沐，而封诸管城，号曰管城子，日见亲宠任事。

颖为人强记而便敏，自结绳之代以及秦事，无不纂录。阴阳、卜筮、占相、医方、族氏、山经、地志、字书、图画、九流、百家、天人之书，及至浮图、老子、外国之说，皆所详悉。又通于当代之务，官府簿书、市井货钱注记，惟上所使。自秦皇帝及太子扶苏、胡亥、丞相斯、中车府令高，下及国人，无不爱重。又善随人意，正直、邪曲、巧拙，一随其人。虽见废弃，终默不泄。惟不喜武士，然见请，亦时往。累拜中书令，与上益狎，上尝呼为"中书君"。上亲决事，以衡石自程，虽宫人不得立左右，独颖与执烛者常侍，上休方罢。颖与绛人陈玄、弘农陶泓及会稽褚先生友善，相推致，其出处必偕。上召颖，三人者不待诏辄俱往，上未尝怪焉。

后因进见，上将有所任使，拂拭之，因免冠谢。上见其发秃，又所摹画不能称上意，上嘻笑曰："中书君老而秃，不任吾用。吾尝谓君中书，君今不中书耶？"对曰："臣所谓尽心者。"因不复召，归封邑，终于管城。其子孙甚多，散处中国夷狄，皆冒管城，惟居中山者，能继父祖业。

太史公曰：毛氏有两族，其一姬姓，文王之子，封于毛，所谓鲁、卫、毛、聃者也。战国时有毛公、毛遂。独中山之族，不知其本所出，子孙最为蕃昌。《春秋》之成，见绝于孔子，而非其罪。及蒙将军拔中山之豪，始皇封诸管城，世遂有名，而姬姓之毛无闻。颖始以俘见，卒见任使，秦之灭诸侯，颖与有功，赏不酬劳，以老见疏，秦真少恩哉！

**【译文】**

毛颖是中山国人。他的祖先明眎，辅佐大禹治理东方，培育万物有功，因此被封在卯地，死后变成十二神。明眎曾经说："我的子孙是神的后代，不能和万物相同，生子应当从口中吐出。"不久之后果然是这样。明眎的第八代孙叫䨲，世上传说商朝时住在中山国，获得了神仙的本领，能够隐身在阳光下使人看不见，并能驱使各种物体，他掠得了嫦娥，骑着蟾蜍到月亮上去了，他的后代就隐居不做官了。住在东门外一个叫㕙的，矫健而善于奔跑，与叫韩卢的狗比谁跑得快，韩卢比不上他，就与叫宋鹊的狗一起谋杀了他，把他全家剁成肉酱。

秦始皇的时候，将军蒙恬往南攻打楚国，驻扎在中山国，准备举行大规模的打猎活动来威慑楚国，召集左右庶长和军尉，用《连山》来占卜，获得了天文与人文的征兆。占卜的人祝贺蒙恬说："今天打猎获得的，没有长角，没有长牙，是穿着布衣的家伙，嘴上有豁口，长着长长的胡须，全身有八窍，盘起腿坐着。我们只取他的长毫，用来撰写竹简和木牍。天下或许能统一文字。秦国大概能并吞各诸侯国吧！"于是就打猎，围住了毛氏全族，拔除他们的长毫，用车载着毛颖回国，在章台宫进献俘虏，把毛氏全族集中在一起，捆绑起来。秦始皇命令蒙恬赐给毛颖汤沐，把他封在管城，称为管城子，皇帝对他日益信任和器重。

毛颖为人博闻强记，机灵敏捷，从结绳记事的时代直到秦朝的事件，没有不编纂记录的。阴阳、卜筮、占相、医方、族氏、山经、地志、字书、图画、九流、百家、天道与人事的书，以及佛教、道教、外国的学说，他都了解得很详尽，对于当代的世务他也很精通，官府的簿册文书、市场上进出钱物的账册，只要皇帝下令他就会写。从秦始皇到太子扶苏、胡亥、丞相李斯、中车府令赵高，直到秦国的百姓，没有不喜爱和尊重他的。他又善于顺从别人的意图，正直、邪曲、巧拙，完全听从别人，即使被废弃不用，始终不声不响。他只是不喜欢武士，然而被邀请时，也按时前往。毛颖一直升官到中书令，与皇帝的关系更加密切，皇帝曾经称他为“中书君”。皇帝亲自处理政务时，每天以看一百二十斤简牍为限度，即使是宫女也不能站在旁边，只有毛颖和拿蜡烛的人经常在跟前伺候，到皇帝休息了才结束。毛颖和绛人陈玄、弘农人陶泓以及会稽人褚先生关系友好，互相推崇，他们进出都在一起。皇帝曾经召见毛颖，其他三人不等命令都一起前往，皇帝也没有责怪过他们。

后来，毛颖进宫拜见皇帝，皇帝准备任用他，给他拂去身上的灰尘，毛颖脱帽致谢。皇帝看见他头发秃了，加上所摹画的东西不能让自己满意，于是笑着说：“中书君，年纪大了，头发也秃了，不能胜任我分派给你的职事了。我曾经称您中书，您现在不是中书了吗？”毛颖回答说：“臣下就是人们所说的尽心尽意的人。”皇帝就不再召见他，让他回到封邑，最后死在那里。他的子孙很多，散居在中原和边疆地区，都称是管城毛颖的后代，不过只有住在中山国的后代，才能继承父辈祖辈的事业。

太史公说：毛氏有两族，其中一支姓姬，是周文王的一个儿子，封在毛地，就是人们所说的鲁、卫、毛、聃中的毛国，战国时期有毛公、毛遂；只有中山国的毛氏一族，不知道他们的始祖是来自哪里，子孙最繁盛。《春秋》写成后，他们被孔子所抛弃，但这不是毛氏的过错。等到蒙将军选拔出中山国的毛颖，秦始皇把他封在管城，中山国的毛氏就在世上出了名，姬姓的毛氏却默默无闻。毛颖开始时以俘虏的身份被召见，终于得到任用。秦国灭掉诸侯，毛颖是有功劳的。但他得到的赏赐抵不上他的功劳，还因为年老而被疏远。秦皇真是缺少恩德啊！

# 猫相乳说

**【题解】**

本文以动物世界的温情来映衬和讴歌真挚美好的人性、人情，这是韩体散文中难能可贵的一篇寓言体散文。寓情、理于物中，尤显生动委婉。

**【原文】**

司徒北平王家猫，有生子同日者，其一死焉。有二子饮于死母，母且死，其鸣咿咿。其一方乳其子，若闻之，起而若听之，走而若救之，衔其一置于其栖，又往如之，反而乳之，若其子然。噫，亦异之大者也！

夫猫，人畜也，非性于仁义者也；其感于所畜者乎哉！北平王牧人以康，伐罪以平，理阴阳以得其宜；国事既毕，家道乃行，父父子子，兄兄弟弟，雍雍如也，愉愉如也；视外犹视中，

**一家犹一人，夫如是，其所感应召致，其亦可知矣。《易》曰“信及豚鱼”，非此类也夫！**

**愈时获幸于北平王，客有问王之德者，愈以是对。客曰：“夫禄位贵富，人之所大欲也。得之之难，未若持之之难也。得之于功，或失于德；得之于身，或失于子孙；今夫功德如是，祥祉如是，其善持之也可知已。”既已，因叙之为猫相乳说云。**

**【译文】**

司徒北平王家里，有两只猫同一天产仔，其中一只母猫死了。有两只猫仔在死母猫那里吃奶，因为母猫死了，所以猫仔呜咿咿地叫。另一只母猫正在给它的仔仔喂奶，它嗅了嗅，站起来听了听，跑过去救它们，衔住其中的一只放在它自己的窝里，又跑过去衔来另一只，返回以后如同对待自己的孩子一样喂它们。噫，这也太奇怪了！

猫，是人养的畜生，它在本性上不是仁义的；或许是被养它的人感化的吧！北平王处理人事很平和仁慈，对待罪人也平易公正，方方面面都处理得很得体；国事处理完毕以后，家中的关系也处理得不错，父与子，兄与弟，和谐愉快；对待外人好像对待家里人一样，一家人团结得好像一个人一样，像这样，他的行为举止使猫也通人性，也是可以理解的。《易》中说“信义感动了豚和鱼”，不就是讲的这种情况吗！

我当时被北平王宠幸，有客人问北平王的德望怎样，我把这件事告诉他。客人说：“禄位和富贵是人们非常想得到的。得到它的艰难，比不上保持它的艰难。由于功劳得到它，或许会由于德行不好而失去它；在自己这一代得到了，或许在子孙那一代会失去；现在北平王有这样的功德，有这样的吉祥福祉，他善于保持禄位富贵就可想而知了。”完了以后，我根据这段叙述写了猫相乳的传说。

## 祭鳄鱼文

**【题解】**

这是作者担任潮州刺史时，针对当地鳄鱼为害的情况写的一篇驱鳄文，体现了作者亲民、爱民的仁政思想。文中运用拟人的手法，使文章别具一种生机。

**【原文】**

维年月日，潮州刺史韩愈，使军事衙推秦济，以羊一、猪一投恶溪之潭水，以与鳄鱼食，而告之曰：

昔先王既有天下，烈山泽，网绳擉刃，以除虫蛇恶物为民害者，驱而出之四海之外。及后王德薄，不能远有，则江、汉之间，尚皆弃之以与蛮夷楚越，况潮岭海之间，去京师万里哉？鳄鱼之涵淹卵育于此，亦固其所。今天子嗣唐位，神圣慈武，四海之外，六合之内，皆抚而有之。况禹迹所揜，扬州之近地，刺史、县令之所治，出贡赋以供天地、宗庙、百神之祀之壤者哉？鳄鱼其不可与刺史杂处此土也！

刺史受天子命，守此土，治此民。而鳄鱼睅

然不安溪潭，据处食民畜、熊、豕、鹿、獐，以肥其身，以种其子孙，与刺史亢拒，争为长雄。刺史虽驽弱，亦安肯为鳄鱼低首下心，伈伈睍睍，为民吏羞，以偷活于此邪？且承天子命，以来为吏，固其势不得不与鳄鱼辨。

鳄鱼有知，其听刺史言：潮之州，大海在其南。鲸鹏之大，虾蟹之细，无不容归，以生以食。鳄鱼朝发而夕至也。今与鳄鱼约：尽三日，其率丑类南徙于海，以避天子之命吏！三日不能，至五日；五日不能，至七日。七日不能，是终不肯徙也，是不有刺史听从其言也；不然，则是鳄鱼冥顽不灵，刺史虽有言，不闻不知也。夫傲天子之命吏，不听其言，不徙以避之，与冥顽不灵而为民物害者，皆可杀。刺史则选材技吏民，操强弓毒矢，以与鳄鱼从事，必尽杀乃止。其无悔！

**【译文】**

某年某月某日，潮州刺史韩愈，派军事衙推秦济，将一只羊、一头猪投进恶溪的潭水中喂给鳄鱼吃，并告诉鳄鱼说：

古代帝王拥有天下以后，焚山林，禁湖泽，用绳子结成网，用利刃刺扎，以便除去危害百姓的虫蛇之类凶恶的动物，把它们驱逐到四海之外。到后来的帝王恩德微薄了，不能统治边远地区，即使长江和汉水流域，尚且都放弃给了少数民族和楚国、越国，何况潮州处在五岭和南海之间，离京城非常遥远呢？鳄鱼在这里潜藏繁殖，这里本来也是适合它们的地方。现在皇上继承了大唐的帝位，神圣、仁慈而威武，四海之外，天地之间，都安抚和占领了，何况这块大禹的足迹到过，靠近扬州，刺史、县令所管辖，缴纳贡赋以便供给祭祀天地、宗庙、各位神明的地方呢？鳄鱼绝对不能和刺史同居在这个地方！

刺史接受皇帝的命令，守护这个地方，治理这里的百姓。但鳄鱼却瞪着凶暴的眼睛，不肯在溪水中安分守己，盘踞在这里吞吃家畜、熊、猪、鹿、獐，来养肥自己的身子，来繁衍自己的后代，与刺史相对抗，争强斗胜。刺史虽然软弱无能，又岂肯对鳄鱼低头屈服，小心恐惧，不敢正视，被百姓和官吏耻笑，而在这里苟且偷生呢？况且我接受皇帝的命令，到这里来任职，因此势必不得不与鳄鱼辩论。

鳄鱼如果明白道理，请听刺史说：潮州，大海在它的南面。大到鲸、鹏，小到虾、蟹，没有不被大海容纳的，它们在那里觅食、生存。你们早晨出发晚上就到了。现在约定：三天之内务必率领你们的同类向南迁到海上去，来避让天子任命的官吏！三天不行，就用五天；五天不行，就用七天。七天还不行的话，就是最终不肯迁徙，那就是眼里没有刺史，不听他的话；否则，就是你们冥顽不灵，刺史即使说了话，也不听不理睬。傲视皇帝派来的官吏，不听他的话，不迁徙避让他，同那些冥顽

不灵危害百姓和生灵的东西一样都该杀。刺史将选拔有才能和技艺的官吏和百姓,拿着强劲的弓和有毒的箭,来跟你们较量,一定要把你们杀尽才罢休。到时候你们一定不要后悔!

## 张中丞传后叙

**【题解】**

本文钩沉史事,表彰抗击安、史叛军的英雄,弘扬人间忠义之气,激励后之来者。史料真实,人物刻画生动。

**【原文】**

元和二年四月十三日夜,愈与吴郡张籍阅家中旧书,得李翰所为《张巡传》。翰以文章自名,为此传颇详密,然尚恨有阙者,不为许远立传,又不载雷万春事首尾。

远虽材若不及巡者,开门纳巡,位本在巡上,授之柄而处其下,无所疑忌,竟与巡俱守死,成功名,城陷而虏,与巡死先后异耳。两家子弟材智下,不能通知二父志,以为巡死而远就虏,疑畏死而辞服于贼。远诚畏死,何苦守尺寸之地,食其所爱之肉,以与贼抗而不降乎?

当其围守时,外无蚍蜉蚁子之援,所欲忠者,国与主耳,而贼语以国亡主灭。远见救援不至,而贼来益众,必以其言为信。外无待而犹死守，人相食且尽，虽愚人亦能数日而知死处矣，远之不畏死亦明矣！乌有城坏，其徒俱死，独蒙愧耻求活？虽至愚者不忍为，呜呼！而谓远之贤而为之邪？

说者又谓远与巡分城而守，城之陷，自远所分始，以此诟远，此又与儿童之见无异。人之将死，其脏腑必有先受其病者；引绳而绝之，其绝必有处。观者见其然，从而尤之，其亦不达于理矣！小人之好议论，不乐成人之美如是哉！如巡、远之所成就，如此卓卓，犹不得免，其他则又何说！

当二公之初守也，宁能知人之卒不救，弃城而逆遁？苟此不能守，虽避之他处何益？及其无救而且穷也，将其创残饿羸之余，虽欲去，必不达。二公之贤，其讲之精矣。守一城，捍天下，以千百就尽之卒，战百万日滋之师，蔽遮江淮，沮遏其势，天下之不亡，其谁之功也！当是时，弃城而图存者，不可一二数；擅强兵坐而观者，相环也。不追议此，而责二公以死守，亦见其自比于逆乱，设淫辞而助之攻也。

愈尝从事于汴、徐二府，屡道于两府间，亲祭于其所谓双庙者，其老人往往说巡、远时事，云：南霁云之乞救于贺兰也，贺兰嫉巡、远之声威功绩出己上，不肯出师救。爱霁云之勇且壮，不听其语，强留之。具食与乐，延霁云坐。霁云慷慨语曰："云来时，睢阳之人不食月余日矣！云虽欲独食，义不忍；虽食，且不下咽。"因拔所佩刀，断一指，血淋漓，以示贺兰。一座大惊，皆感激，为云泣下。云知贺兰终无为云出师意，即驰去。将出城，抽矢射佛寺浮图，矢著其上砖半箭，曰："吾归破贼，必灭贺兰，此矢所以志也！"愈贞元中过泗州，船上人犹指以相语。城陷，贼以刃胁降巡，巡不屈，即牵去，将斩之；又降霁云，云未应，巡呼云曰："南八，男儿死耳，不可为不义屈！"云笑曰："欲将以有为也。公有言，云敢不死！"即不屈。

张籍曰："有于嵩者，少依于巡，及巡起事，嵩尝在围中。籍大历中于和州乌江县见嵩，嵩时年六十余矣。以巡初尝得临涣县尉，好学，无所不读。籍时尚小，粗问巡、远事，不能细也。云：'巡长七尺余，须髯若神。'尝见嵩读《汉书》，谓嵩曰：'何为久读此？'嵩曰：'未熟也。'巡曰：'吾于书读不过三遍，终身不忘也。'因诵嵩所读书，尽卷，不错一字。嵩惊，以为巡偶熟此卷，因乱抽他帙以试，无不尽然。嵩又取架上诸书试以问巡，巡应口诵无疑。嵩从巡久，亦不见巡常读书也。为文章，操纸笔立书，未尝起草。初守睢阳时，士卒仅万人，城中居人户亦且数万，巡因一见问姓名，其后无不识者。巡怒，须髯辄张。及城陷，贼缚巡等数十人坐，且将戮。

**巡起旋，其众见巡起，或起或泣。巡曰：‘汝勿怖！死，命也。’众泣不能仰视。巡就戮时，颜色不乱，阳阳如平常。远宽厚长者，貌如其心；与巡同年生，月日后于巡，呼巡为兄，死时年四十九。”**

**嵩，贞元初死于亳、宋间。或传嵩有田在亳、宋间，武人夺而有之，嵩将诣州讼理，为所杀。嵩无子。张籍云。**

**【译文】**

元和二年四月十三日晚上，我和吴郡人张籍阅读家中的旧书，发现了李翰写的《张巡传》。李翰常凭自己文章写得好而自负，他写的这篇传记非常详尽周密，然而遗憾的是还有缺漏，没给许远立传，又没有记载雷万春事迹的始末。

许远虽然才能似乎比不上张巡，却能打开城门迎接张巡，官位本来在张巡之上，然而他把权力交给了张巡，甘居张巡之下，毫无猜疑嫉妒之心，最终和张巡一起守城而死，成就了功名，城池被攻陷后被俘，只不过与张巡死的时间有先后不同罢了。许、张两家的子弟才智低下，不能完全了解他们父辈的志向，他们认为张巡战死而许远被俘，怀疑许远怕死而向叛军屈服投降。许远如果怕死，何苦死守着尺寸之地，吃他所爱的人的肉，来与叛军对抗而不投降呢？

当他在包围中守城时，外边连一点援兵也没有，所要效忠的，就是国家和皇上，叛军告诉他国家已经灭亡，皇上也死了。许远见救兵不来，叛军日益增多，一定会相信他们的话。外面没有希望却仍死守，人吃人都快要吃尽了，即使是最蠢的人也能计算日期而知道自己将死在这里，许远不怕死已非常清楚了！哪里有城破而自己的部下都已战死，却单单自己蒙受耻辱苟且偷生的呢？即使是最蠢的人也不愿这样做，唉！你们说许远这样贤明，会做出那种事吗？

议论的人又说许远和张巡分守城门，城破是从许远所守的地段开始的，拿这件事来指责许远，这又与儿童的见识没有区别。人将要死的时候，他的内脏一定先有损坏的地方；拉断一根绳子，一定有一个先断的地方。有人看到这种情况，就责怪这个先受损坏和先断的地方，那也太不通情理了！小人喜欢议论，不愿成人之美，竟到了这样的地步！像张巡、许远成就的功业，这样杰出，还不能免于指责，其他人还有什么可说呢？

当张巡、许远开始守城的时候，怎能知道别人始终不来援救，因而弃城预先逃走呢？如果睢阳守不住，即使逃到别处又有什么用处？等到没有救兵并且走投无路的时候，率领着那些受伤残废、饥饿瘦弱的残兵，即使想逃走，也一定无法到达要去的地方。张、许两位的功绩，前人已有非常精当的评价了。守住孤城，捍卫天下，仅凭着千百个接近死亡的士兵，抵抗近百万日见增多的叛军，保护着江淮地区，遏制了叛军的攻势，天下能够不亡，这是谁的功劳啊！在那个时候，丢掉城池希图保全性命的人，多得数不清；拥有强兵而坐视不救的，一个又一个。人们不去追究讨论这些，却拿死守睢阳来责备张、许二位，也可见这些人把自己放在与叛乱者同类的地位，捏造谎言来帮他们攻击张巡、许远。

我曾经在汴州、徐州任职，多次来往于两州之间，亲自在那叫做双庙的地方祭祀张巡和许远，那里的老人常常说起张巡、许远时的事，说南霁云向贺兰进明求援时，贺兰进明嫉妒张巡、许远的声威功绩超过自己，不肯出兵相救。但他喜爱南霁云勇猛又壮伟，虽然不听从他的话，却强行要挽留南霁云。他准备了酒食与音乐，请南霁云入座。南

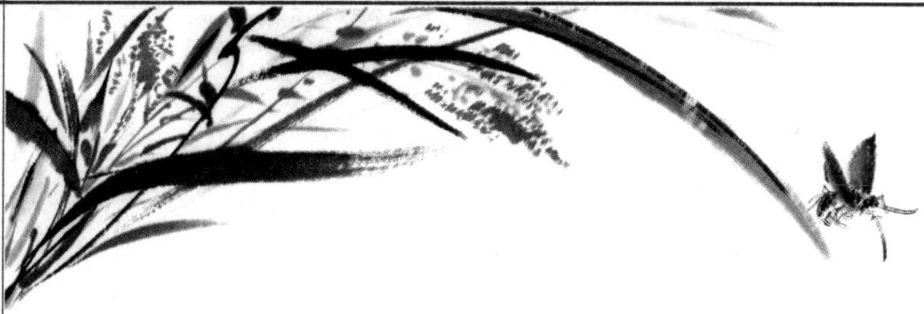

霁云慷慨激昂地说："我来时，睢阳城里的人，已经一个多月没有东西吃了！我就算想一个人吃，可道义不允许；即使吃了，也不能下咽。"于是，拔出自己的佩刀，砍断一个手指，鲜血淋漓，拿给贺兰进明看。在座的人大吃一惊，都被南霁云感动得流下了眼泪。南霁云知道贺兰进明终究没有为自己出兵的意思，立即骑马离去。将要出城时，他抽出箭射寺庙的佛塔，箭射进砖里面有半箭之深，说："我回去打败叛军以后，一定要消灭贺兰进明。就用这枝箭来作标记。"我在贞元年间经过泗州，船上的人还指点着告诉我。城破后，叛军拿刀逼张巡投降，张巡坚贞不屈，于是马上被绑走，准备杀掉他；叛军又去招降南霁云，南霁云没有答应。张巡招呼南霁云说："南八，男子汉一死罢了，不可为不义而屈服！"南霁云笑着说："我本来想有所作为的。您既然这样说，我哪敢不死！"就不屈而死。

张籍说："有一个叫于嵩的人，年轻时跟着张巡，等到张巡起兵抗击叛军，于嵩曾经在围城之中。我大历年间在和州乌江县见过于嵩，于嵩当时年纪有六十多岁了。因为张巡的缘故，起先曾任临涣县尉，爱好学习，广览群书。我当时还小，简单地问过张巡、许远的事，不太详细。他说：'张巡身高七尺多，须髯美如神灵。'张巡曾经看见于嵩读《汉书》，就问于嵩说：'你怎么老是读这本书呢？'于嵩说：'没有读熟呀。'张巡说：'我读书不超过三遍，终身不忘。'就背诵于嵩所读的书，全卷背完没有错一个字。于嵩很惊奇，认为张巡碰巧熟悉这一卷，就随便抽别的卷子来试他，都是这样背出来的。于嵩又拿书架上的其他书来试问张巡，张巡应声顺口背诵，毫不迟疑。于嵩跟张巡的时间很长，也没有看见张巡经常读书。张巡写起文章来，拿起纸笔，一挥而就，未曾打过草稿。开始守卫睢阳时，士兵近万人，城中住的人家，也将近几万，张巡只要见过一次问了姓名，那以后就没有不认识的。张巡发起怒来，胡须就会竖起。等到城破后，叛军绑住张巡等几十人让他们坐着，要杀掉他们。张巡马上站起来，他的部下看到张巡起身，有的站起来，有的哭起来。张巡说：'你们不要害怕！死，是命中注定的。'大家哭着不忍抬头看他。张巡就义时，面不改色，泰然自若，就跟平常一样。许远是宽厚的长者，相貌和他的内心一样，他与张巡同年出生，出生的月日比张巡晚，称张巡为兄，死时只有四十九岁。"

贞元初年，于嵩在亳、宋一带去世。有人传说他在亳、宋之间有田产，武将把它强夺霸占了，于嵩打算到州里告状，被武将杀害了。于嵩没有后代。这是张籍说的。

## 柳子厚墓志铭

**【题解】**

文中高度赞扬了柳宗元的人品政绩和文学才华，于桩桩平凡的往事中蕴含深情，显得情真意切。

**【原文】**

子厚，讳宗元。七世祖庆，为拓跋魏侍中，封济阴公。曾伯祖奭，为唐宰相，与褚遂良、韩瑗俱得罪武后，死高宗朝。皇考讳镇，以事母弃太常博士，求为县令江南。其后，以不能媚权贵，失御史。权贵人死，乃复拜侍御史。号为刚直，所与游，皆当世名人。

子厚少精敏，无不通达。逮其父时，虽少年，已自成人，能取进士第，崭然见头角。众谓柳氏有子矣。其后以博学宏词授集贤殿正字。俊杰廉悍，议论证据今古，出入经史百子，踔厉风发，率常屈其座人，名声大振，一时皆慕与之交。诸公要人争欲令出我门下，交口荐誉之。

贞元十九年，由蓝田尉拜监察御史。顺宗即位，拜礼部员外郎。遇用事者得罪，例出为刺史。未至，又例贬永州司马。居闲益自刻苦，务记览，为词章，泛滥停蓄，为深博无涯涘，而自肆于山水间。

元和中，尝例召至京师，又偕出为刺史，而子厚得柳州。既至，叹曰："是岂不足为政邪？"因其土俗，为设教禁，州人顺赖。其俗以男女质钱，约不时赎，子本相侔，则没为奴婢。子厚与设方计，悉令赎归。其尤贫力不能者，令书其佣，足相当，则使归其质。观察使下其法于他州，比一岁，免而归者且千人。衡湘以南，为进士者，皆以子厚为师。其经承子厚口讲指画为文词者，悉有法度可观。

其召至京师而复为刺史也，中山刘梦得禹锡亦在遣中，当诣播州。子厚泣曰："播州，非人所居，而梦得亲在堂。吾不忍梦得之穷，无辞以白其大人；且万无母子俱往理。"请于朝，将拜疏，愿以柳易播，虽重得罪，死不恨。遇有以梦得事白上者，梦得于是改刺连州。呜呼！士穷乃见节义。今夫平居里巷相慕悦，酒食游戏相征逐，诩诩强笑语以相取下，握手出肺肝相示，指天日涕泣，誓生死不相背负，真若可信。一旦临小利害，仅如毛发比，反眼若不相识，落陷阱，不一引手救，反挤之，又下石焉者，皆是也。此宜禽兽夷狄所不忍为，而其人自视以为得计。闻子厚之风，亦可以少愧矣。

子厚前时少年，勇于为人，不自贵重顾藉，谓功业可立就，故坐废退。既退，又无相知有气力得位者推挽，故卒死于穷裔，材不为世用，道不行于时也。使子厚在台省时，自持其身，已能如司马、刺史时，亦自不斥。斥时有人力能举之，且必复用不穷。然子厚斥不久，穷不极，虽有出于人，其文学辞章，必不能自力以致必传于后如今，无疑也。虽使子厚得所愿，为将相于一时，以彼易此，孰得孰失，必有能辨之者。

子厚以元和十四年十一月八日卒，年四十七。以十五年七月十日，归葬万年先人墓侧。

子厚有子男二人：长曰周六，始四岁；季曰周七，子厚卒乃生。女子二人，皆幼。其得归葬也，费皆出观察使河东裴君行立。行立有节概，重然诺，与子厚结交，子厚亦为之尽，竟赖其力。葬子厚于万年之墓者，舅弟卢遵。遵，涿人，性谨慎，学问不厌。自子厚之斥，遵从而家焉，逮其死不去。既往葬子厚，又将经纪其家，庶几有始终者。

铭曰：是惟子厚之室，既固既安，以利其嗣人。

**【译文】**

子厚，名叫宗元。七世祖柳庆，曾任北魏侍中，被封为济阴公。曾伯祖柳奭，担任过唐朝的宰相，与褚遂良、韩瑗一起得罪了武则天，在高宗时去世。父亲柳镇，因为要奉养母亲而放弃了太常博士的职位，请求到江南担任县令。后来，因为不能讨好权贵，丢掉了御史的职务。权贵死后，才重新担任侍御史。他以为人刚毅正直著称，所交往的朋友，都是当代的名人。

子厚小时候就聪明敏慧，博览群书，没有什么不通晓的。他父亲在世时，他虽然年轻，却已经像个成年人，能够考取进士，崭露头角。人们说柳家有个有出息的儿子。后来考取博学宏词，被任命为集贤殿正字。他才能杰出，清廉刚毅，讨论问题时引证古今事例，精通经史及诸子百家的著作，见识高超，意气风发，常常让在座的人倾服，因此名声大振，一时之间，人们都敬慕他，愿与他交往。各位显要的人物都争着想让他做自己的门生，异口同声地推举赞扬他。

贞元十九年，他由蓝田尉升为监察御史。顺宗即位后，担任礼部员外郎。遇上执政的人犯了罪，按规定被贬为刺史。他还没有到任，又被贬为永州司马。他虽然身居闲职，自己却更加刻苦，努力记诵和阅读书籍，写诗作文，时而文笔恣肆，时而风格凝练，达到深厚博大、漫无边际的境界，他还常常恣意享受山水风光。

元和年间，子厚曾照例被召回京城，又同一些人一道被贬出京城担任刺史，他担任柳州刺史，到了那儿以后，叹息说："这个地方难道不值得推行政令教化吗？"他根据当地的风俗，制定了教化措施和禁令，柳州百姓都服从他、信赖他。那里有一种风俗，把儿女作为抵押向人借钱，约定如不能按时赎回，到了本金和利息相等的时候，就把人质作为奴婢。子厚给他们想方设法，让他们把人质全部赎回。那些特别贫穷没有能力赎回的，就令债主记下人质做工的工钱，到了工钱和债务相当的时候，就让债主放回人质。观察使把这个办法推广到其他州，等到一年以后，免除奴役的人将近千人。衡山、湘水以南，想考进士的人，都拜子厚为老师。那些经过子厚亲自讲授指点的，所写诗文，都符合规范，值得一看。

子厚被召回京城，又再次被遣出担任刺史时，中山人刘禹锡也在遣出的人当中，他应该前往播州。子厚哭着说：“播州不是人住的地方，而且梦得的老母亲还健在，我不忍心看到梦得这样穷困，没有理由把去播州的事告诉他的母亲，况且万万没有母子一起到播州去的道理。”他向朝廷请求，准备给皇帝上奏章，愿意用柳州来换播州，即使再次获罪，死了也不遗憾。正好遇上有把梦得的情况报告皇上的人，梦得因此改任连州刺史。唉！士大夫在穷困时就显出节操和道义。现在的人们平时住在小巷子里，彼此仰慕友好，吃吃喝喝，玩玩乐乐，互相招呼追随，融洽地聚集在一起，假惺惺地说笑，自己甘居对方之下，握手时像要把心肝肺腑掏出来给对方看，指着天日流泪，发誓说生死都不互相背叛，真像可以信赖似的。一旦遇上小小的利害冲突，仅仅只有毛发那样小的事，就翻脸不认人，朋友掉下陷阱，不伸手相救，反而使劲推挤，还往下扔石头，到处是这种人。这是禽兽和野蛮人都不忍心做的事，可那些人自以为得计。他们听说了子厚的风范，也该有点惭愧吧。

子厚从前年轻时，勇于助人，不保重顾惜自己，认为功业可以立刻成就，因而受牵连被贬退。贬官以后，又没有了解他而且有势力、有地位的人推举救助他，因而最终死在荒凉的边远地区，才能不被当世所用，抱负也不能在当世施展。假如子厚在台省任职时，自己谨慎从事，能像任司马、刺史时一样，也就不会被贬斥。被贬斥时如果有人能够竭力推举他，也一定会被重新起用，不至于这样穷困。然而，如果子厚被贬斥的时间不长，没有穷困到极点，即使有超人的才华，他在文学创作上，一定不会这样刻苦努力，取得现在这样流传后世的成就，这是毫无疑问的。即使让子厚实现他的愿望，一度成为将相，拿那个换这个，哪一种值得，哪一种不值得，一定能分辨清楚。

子厚在元和十四年十一月八日去世，享年四十七岁。在元和十五年七月十日，归葬在万年县他祖坟的旁边。子厚有两个儿子：大的名叫周六，才四岁；小的名叫周七，子厚去世后才出生。他还有两个女儿，都很小。子厚能够归葬，费用都是观察使河东人裴行立出的。裴行立有气节，重信用，与子厚相交，子厚也为他尽心尽力，最后还是依靠了他的力量。把子厚葬在万年县的墓地的，是他的表弟卢遵。卢遵是涿州人，为人谨慎，研究学问从不满足。自从子厚被贬斥，卢遵就跟着他安家，直到他死也不离开。卢遵安葬了子厚以后，又打算安排料理他的家事，也可以算是个有始有终的人。

铭文说：这是子厚的墓室，既牢固又安宁，有利于他的子孙后代。

# 柳宗元

柳宗元(773—819),字子厚,河东解(今山西省运城永济)人,世称“柳河东”;又因担任过柳州刺史,亦称“柳柳州”。唐德宗贞元九年(793)进士,曾任集贤殿正字、蓝田尉和监察御史里行等职。唐顺宗永贞年间,柳宗元被任命为礼部员外郎,积极参加了王叔文集团推行的政治革新运动。永贞革新失败以后,柳宗元被贬为永州(今湖南零陵)司马。十年以后,改任柳州刺史,死于柳州,年仅四十七岁。

柳宗元跟韩愈一道,积极提倡古文,主张“文以载道”,反对“贵辞而矜书,粉泽以为工,遒密以为能”的颓靡文风。他一生中写下了许多千古流传的寓言、传记和山水游记,其散文创作,对后世产生了深远的影响。有《柳河东集》传世。

## 种树郭橐驼传

**【题解】**

本文以种树之道类比为政之道,深刻阐明了作者令简政宽的民本思想。文章寓理于事,说理生动形象。

**【原文】**

郭橐驼,不知始何名。病偻,隆然伏行,有类橐驼者,故乡人号之"驼"。驼闻之曰:"甚善,名我固当。"因舍其名,亦自谓"橐驼"云。其乡曰丰乐乡,在长安西。驼业种树,凡长安豪富人为观游及卖果者,皆争迎取养。视驼所种树,或移徙,无不活,且硕茂,蚤实以蕃。他植者,虽窥伺效慕,莫能如也。

有问之,对曰:"橐驼非能使木寿且孳也,能顺木之天,以致其性焉尔。凡植木之性,其本欲舒,其培欲平,其土欲故,其筑欲密。既然已,勿动勿虑,去不复顾。其莳也若子,其置也若弃,则其天者全,而其性得矣。故吾不害其长而已,非有能硕茂之也;不抑耗其实而已,非有能蚤而蕃之也。他植者则不然,根拳而土易,其培之也,若不过焉则不及。苟有能反是者,则又爱之太殷,忧之太勤,旦视而暮抚,已去而复顾。甚者爪其肤以验其生枯,摇其本以观其疏密,而木之性日以离矣。虽曰爱之,其实害之;虽曰忧之,其实仇之。故不我若也。吾又何能为哉?"

问者曰:"以子之道,移之官理可乎?"驼曰:"我知种树而已,官理,非吾业也。然吾居乡，见长人者好烦其令，若甚怜焉，而卒以祸。旦暮吏来而呼曰：‘官命促尔耕，勖尔植，督尔获，蚤缫而绪，蚤织而缕，字而幼孩，遂而鸡豚。’鸣鼓而聚之，击木而召之。吾小人辍飧饔以劳吏者，且不得暇，又何以蕃吾生而安吾性耶？故病且怠。若是，则与吾业者其亦有类乎？”

问者嘻曰：“不亦善夫！吾问养树，得养人术。”传其事以为官戒也。

**【译文】**

郭橐驼，不知他原本叫什么名字。他得了佝偻病，后背弓起，俯着身子走路，就像骆驼一样，所以乡里人称他为“驼”。橐驼听到人们这样叫他，说：“很好，这样称呼我本来很恰当。”于是他舍弃了他的原名，也自称“橐驼”。他的家乡丰乐乡在长安西面。橐驼以种树为业，凡是长安豪绅富人修造观赏游览园林以及卖果树的，都争着把他请来供养在家里。看橐驼种的树，或是移栽的树，没有不成活的，而且树木高大茂盛，果实结得又早又多。其他种植树木的人，即使偷看仿效，也没人比得上他。

有人问起，他回答说：“我并不能使树木活得久，长得快，只是能顺着树木的天性，让它的天性得到充分发展罢了。大凡种植树木的要领是，树根要舒展，培土要均匀，泥土要用陈土，捣土要结实。这样做了以后，不要动它，不要担心它，离开后就不要再管它了。移栽时要像爱护自己的孩子一样，种好以后就要像丢弃东西一样不管它，这样，它的天性将得到保全，它的本性会得到发展。因此我只是不妨害它生长而已，并没有什么法子能使它长得高大茂盛；只是不抑制、不损害它结果实罢了，并不能使它的果实结得又早又多。其他种树的人却不是这样，他们栽种时，让树根拳曲着，土也换了新的，他们培土的时候，好像不是太多就是太少。即使有不这样做的人，却又爱护得太殷勤，担心得太多，早晨看晚上摸，已经离开了，还要回头看看。甚至抓破树皮来检验这树的死活，摇动树根来观察培土是紧了还是松了，这样树的本性就逐渐被破坏了。虽然说是爱它，那实际上是害了它；虽然说是担心它，那实际上是损坏它。因此他们种的树才比不上我种的树，其实我又哪有什么特殊本事呢？”

问的人说：“用您种树的方法，移用到为官治理百姓上面来，可以吗？”橐驼说：“我只知道种树罢了，做官治理百姓，不是我的职业。然而我住在乡下，看见那些做官的人，经常喜欢向百姓发布政令，好像很爱护他们，最终却害了他们。早晚官吏来喊叫：‘长官命令催促你们耕地，勉励你们种植，督促你们收割，早些缫好你们的丝，早些纺好你们的线，抚养好你们的孩子，喂养大你们的小鸡小猪。’一会儿鸣鼓集合百姓，一会儿敲梆召唤百姓。我们老百姓就是连饭也不吃来慰劳官吏，尚且不得空闲，又怎么来增加生产、安定生活？因此困苦、疲惫。像这种情况，同我种树也有类似的地方吧？”

问的人说：“哈哈，不也很好吗！我问种树的事，得到了治民的方法。”于是我记下这件事情作为官戒。

## 蝜蝂传

**【题解】**

这是一篇寓言式的短文，作者抓住蝜蝂喜欢负重上爬的特性，尖锐讽刺了那些贪得无厌、好向上爬的官吏。

【原文】

蝜蝂者，善负小虫也。行遇物，辄持取，印其首负之。背愈重，虽困剧不止也。其背甚涩，物积因不散，卒踬仆不能起。人或怜之，为去其负。苟能行，又持取如故。又好上高，极其力不已，至坠地死。

今世之嗜取者，遇货不避，以厚其室。不知为己累也，惟恐其不积。及其怠而踬也，黜弃之，迁徙之，亦以病矣。苟能起，又不艾，日思高其位，大其禄，而贪取滋甚，以近于危坠，观前之死亡不知戒。虽其形魁然大者也，其名人也，而智则小虫也。亦足哀夫！

【译文】

蝜蝂，是一种善于背东西的小虫。它爬行的时候遇上什么东西，就捡起来，昂起头背着，背的东西越来越重，即使感到非常疲惫也不肯停止。它的背部很黏，背的东西就聚积在一起，不会散开，终于被绊倒，爬不起来。有人可怜它，为它卸掉重负。但它只要能爬行了，又会像过去一样捡东西。它又喜欢爬高，用尽了力气仍不罢休，直到摔死在地上。

如今世上贪恋财物的人，不管遇上什么财物都拿，以增加他的家产。他不但不知道这是自己的累赘，反而时刻担心不够多。到他危险而跌倒，被罢了官，贬到很远的地方，也算吃了苦头了。如果一旦能卷土重来，他又会不停地捞取财物，每天考虑着提高自己的官位，增加自己的俸禄，贪婪索取更加厉害，因而面临从高处摔下的危险，看到前人因贪婪而死却不知道引以为戒。即使他的形体魁梧高大，他的名称是“人”，但智慧和小虫一样。这也太可悲了呀！

## 三　戒

**【题解】**

这三篇寓言通过记叙小鹿、驴子、老鼠的悲惨命运，分别讽刺了恃宠娇惯、盲目自信、外强中干、无真才实学和贪婪愚蠢、作威作福的丑恶现象，具有很强的警示作用。全文侧重于描写，情节生动有趣，篇末议论画龙点睛。

**【原文】**

### 临江之麋

临江之人畋，得麋麑，畜之。入门，群犬垂涎，扬尾皆来。其人怒，怛之。自是日抱就犬，习示之，使勿动，稍使与之戏。积久，犬皆如人意。麋麑稍大，忘己之麋也，以为犬良我友，抵触偃仆，益狎。犬畏主人，与之俯仰甚善，然时啖其舌。

三年，麋出门，见外犬在道甚众，走欲与为戏。外犬见而喜且怒，共杀食之，狼藉道上。麋至死不悟。

## 黔之驴

黔无驴，有好事者船载以入。至则无可用，放之山下。虎见之，庞然大物也，以为神，蔽林间窥之，稍出近之，慭慭然莫相知。

他日，驴一鸣，虎大骇，远遁，以为且噬己也，甚恐。然往来视之，觉无异能者。益习其声，又近出前后，终不敢搏。稍近益狎，荡倚冲冒，驴不胜怒，蹄之。虎因喜，计之曰："技止此耳！"因跳踉大㘎，断其喉，尽其肉，乃去。

噫！形之庞也类有德，声之宏也类有能。向不出其技，虎虽猛，疑畏，卒不敢取。今若是焉，悲夫！

## 永某氏之鼠

永有某氏者，畏日，拘忌异甚。以为己生岁直子，鼠，子神也，因爱鼠。不畜猫犬，禁僮勿击鼠。仓廪庖厨悉以恣鼠，不问。由是鼠相告，皆来某氏，饱食而无祸。某氏室无完器，椸无完衣，饮食大率鼠之余也。昼累累与人兼行，夜则窃啮斗暴，其声万状，不可以寝，终不厌。

数岁，某氏徙居他州。后人来居，鼠为态如故。其人曰："是阴类恶物也，盗暴尤甚，且何以至是乎哉？"假五六猫，阖门，撤瓦，灌穴，购僮罗捕之。杀鼠如丘，弃之隐处，臭数月乃已。

呜呼！彼以其饱食无祸为可恒也哉？

**【译文】**

## 临江之麋

临江人打猎时捕获了一只小鹿，就把它养起来。小鹿进门后，一群狗馋得直流口水，都摇着尾巴走过来。这个人很生气，吓唬它们。从此每天抱着小鹿去接近狗，使它们熟悉起来，教狗不去伤害它，渐渐地，让狗与小鹿一起玩耍。时间长了，狗都懂得了主人的想法。小鹿慢慢长大了，忘记了自己是一只鹿，认为狗是它真正的朋友，跟狗互相顶架、打滚，更加亲近。狗怕主人，只得跟它周旋，似乎很合得来，但狗常常舐嘴弄舌，露出馋相。

三年以后，小鹿出门，看见路上有许多陌生的狗，就跑过去想和它们玩耍。那些狗一见小鹿，高兴得发了狂，一起咬死它，并把它吃了，皮毛、骨头撒了一地。小鹿到死也没明白是怎么一回事。

## 黔之驴

黔中没有驴子，有喜欢多事的人用船把驴子运进来。运到后却觉得没有什么用处，于是就将它放养在山下。老虎见这么一个庞然大物，以为是什么神灵，躲在树林中偷看它，渐渐地出来接近它，小心谨慎，不知道它是什么。

有一天，驴子叫了一声，老虎害怕极了，逃得远远的，以为驴子要吃掉自己，十分惊恐。然而来来回回观察它，觉得它没有什么特别的能耐。后来，更加听惯了它的声音，就走近驴子，在它周围徘徊，但终究不敢攻击它。老虎又进一步靠近它，更加狎昵、随便，开始冲撞、冒犯驴子。驴子不禁大怒，用蹄子踢老虎。老虎于是很高兴，想到："它的本领仅仅如此罢了！"于是跳起来大吼，咬断驴子的喉管，吃光了它的肉，才离开。

唉！形体庞大好像很有德行，声音洪亮似乎很有能耐。假如驴子不使出自己的本领，老虎虽然凶猛，也会疑虑和惧怕，终究不敢吃它。现在它落到这个地步，真可悲呀！

**永某氏之鼠**

永州有一个人，怕犯日忌，拘守禁忌非常严格。他认为自己出生时正当子年，老鼠是子神，因此喜爱老鼠。他不养猫和狗，不准仆人打老鼠，家中粮仓和厨房，全都听任老鼠横行，不加过问。因此老鼠互相转告，都来到这个人家里，吃得饱饱的，没有一点危险。这个人家里没有完整的器具，衣架上没有一件完好的衣服，喝的吃的大都是老鼠吃剩下的。白天，老鼠成群结队地和人一起同行；夜里偷咬东西，打架胡闹，发出各种各样的叫声，闹得人不能睡觉，但主人始终不讨厌老鼠。

过了几年，这家人搬迁到其他州去了。别的人来住，老鼠还像过去一样胡闹。那家人说："这是在阴暗的地方活动的坏家伙，偷食捣乱很凶，为什么会这样呢？"于是主人借来五六只猫，关上门，揭开屋上的瓦片，用水灌鼠洞，奖励仆人四面围捕老鼠。杀死的老鼠成堆，被扔到偏僻无人的地方，臭气过了几个月才散去。

唉！它们以为吃得饱饱的又没有危险的日子是可以长久的吗？

# 捕蛇者说

**【题解】**

文中记叙了捕蛇为业的蒋氏一家及其邻居的不幸遭遇。揭露了苛政猛于虎的黑暗现实，表达了作者对劳苦百姓的深切同情。

**【原文】**

永州之野产异蛇，黑质而白章。触草木，尽死；以啮人，无御之者。然得而腊之以为饵，可以已大风、挛踠、瘘、疠，去死肌，杀三虫。其始，太医以王命聚之，岁赋其二；募有能捕之者，当其租入。永之人争奔走焉。

有蒋氏者，专其利三世矣。问之，则曰："吾祖死于是，吾父死于是，今吾嗣为之十二年，几死者数矣。"言之，貌若甚戚者。余悲之，且曰："若毒之乎？余将告于莅事者，更若役，复若赋，则何如？"

蒋氏大戚，汪然出涕曰："君将哀而生之乎？则吾斯役之不幸，未若复吾赋不幸之甚也！向吾不为斯役，则久已病矣。自吾氏三世居是乡，积于今六十岁矣，而乡邻之生日蹙。殚其地之出，竭其庐之入，号呼而转徙，饥渴而顿踣，触风雨，犯寒暑，呼嘘毒疠，往往而死者相藉也。

曩与吾祖居者，今其室十无一焉；与吾父居者，今其室十无二三焉；与吾居十二年者，今其室十无四五焉。非死则徙尔，而吾以捕蛇独存。悍吏之来吾乡，叫嚣乎东西，隳突乎南北，哗然而骇者，虽鸡狗不得宁焉。吾恂恂而起，视其缶，而吾蛇尚存，则弛然而卧。谨食之，时而献焉。退而甘食其土之有，以尽吾齿。盖一岁之犯死者二焉，其余则熙熙而乐，岂若吾乡邻之旦旦有是哉！今虽死乎此，比吾乡邻之死，则已后矣，又安敢毒耶？”

余闻而愈悲。孔子曰：“苛政猛于虎也。”吾尝疑乎是。今以蒋氏观之，犹信。呜呼！孰知赋敛之毒，有甚是蛇者乎！故为之说，以俟夫观人风者得焉。

**【译文】**

永州的郊野出产一种奇异的蛇，身上黑底子，白花纹；碰到草木，草木都会枯死；如果来咬人，没有人能够抵挡它。然而将它捕来晒干作为药饵，可以治愈麻风病、手脚痉挛、脖子肿大、恶疮，除去坏死的肌肉，杀灭身上的寄生虫。开始时，太医根据朝廷的命令征集这种蛇，每年征集两次；招募能够捕这种蛇的人，用这种蛇来充抵他们应缴的赋税。于是永州人争着去捕捉这种蛇。

有个姓蒋的人，专门从这种事中获利已经三代了。我问他，他就说："我的祖父死在这件事上，我的父亲死在这件事上，现在我接着干这件事已经十二年了，几次都是死里逃生。"说起这些，他的神情好像很悲伤。我为他难过，并且说："你痛恨捕蛇这件事吗？我将向有关官员报告，更换你的差使，恢复你的赋税，你看如何呢？"

姓蒋的人十分忧伤，痛哭流涕说："您是可怜我想让我活下去吗？虽说我的这个差使不幸，但还比不上恢复我的赋税的不幸厉害呢！假使我不干这种差使，那我早已困顿不堪了。自从我家三代住在这个乡，到现在已经六十年了，我的乡邻的生计日益艰难。他们把田地里出产的东西全都交出来，用尽家里的全部收入，哭喊着到处迁徙，忍受着饥渴，劳累得倒下，栉风沐雨，冒着严寒酷暑，呼吸着有毒的空气，他们死后，尸体横七竖八地躺在地上。从前和我祖父住在一起的人，现在十户中没有一户了；与我父亲住在一起的人，现在十户中没有两三户了；与我住了十二年的人家，现在十户中没有四五户了。他们不是死了就是搬走了，我却因为捕蛇独自活下来了。凶悍的官吏来到我的家乡，到处叫嚷，四处骚乱，叫声大得让人害怕，即使是鸡狗也不得安宁。我小心翼翼地起来，看看那个装蛇的坛子，我的蛇还在那里，就放心地躺下。我小心地喂养它，按时献上去，回家后就津津有味地吃着田地里出产的东西，来度过我的余生。我大概一年中有两次要冒死亡的危险，其余时间却快快乐乐，哪里像我的乡亲一样天天有这种危险呢？现在我即使因此而死，比起我的乡亲的死，已经是死在后面了。又怎么敢怨恨呢？”

我听了以后更加悲伤。孔子说：“苛酷的政令比老虎还凶猛。”我曾经对此表示怀疑。现在从姓蒋的人的经历看起来，还是可信的。唉！谁知道赋敛的毒害比毒蛇还厉害呢？于是我写下这篇文章，以便等待那些考察民情的人看到它。

## 哀溺文

**【题解】**

这篇小品，辛辣地讽刺那些贪得无厌最终落得身败名裂的蠢人。

**【原文】**

永之氓咸善游。一日，水暴甚，有五六氓乘小船绝湘水。中济，船破，皆游。其一氓尽力而不能寻常。其侣曰：“汝善游最也，今何后为？”曰：“吾腰千钱，重，是以后。”曰：“何不去之？”不应，摇其首。有顷益怠。已济者立岸上呼且号曰：“汝愚之甚，蔽之甚，身且死，何以货为？”又摇其首，遂溺死。吾哀之。且若是，得不有大货之溺大氓者乎？于是作《哀溺》。

吾哀溺者之死货兮，惟大氓之为忧。世涛鼓以风涌兮，浩滉荡而无舟。不让禄以辞富兮，又旁窥而诡求。手足乱而无如兮，负重逾乎崇丘。既浮颐而灭膂兮，不忍释利而离尤。呼号者之莫救兮，愈摇首以沉流。发披鬟以舞澜兮，魂伥伥而焉游？龟鼋互进以争食兮，鱼鲔族而为羞。始贪赢以啬厚兮，终负祸而怀仇。前既没而后不知惩兮，更揽取而无时休。哀兹氓之蔽愚兮，反贼己而从仇。不量多以自诔兮，姑指幸者而为谋。夫人固灵于鸟鱼兮，胡昧罻而蒙钩？大者死大兮，小者死小。善游虽最兮，卒以道夭。与害偕行兮，以死自绕。推今而鉴古兮，鲜克以保其生。衣宝焚纣兮，专利灭荣。豺狼死而犹饿兮，牛腹尸而不盈。民既贸贸而无知兮，故与彼咸谥为氓。死者不足哀兮，冀中人之为余再更。噫！

**【译文】**

永州的老百姓善于游泳。有一天，河水暴涨，有五六个人乘着小船横渡湘江。到了江中间，船破了，因此人们都只能游泳。其中有一个人竭尽全力也跟不上。他的同伴说："你是最会游泳的，今天为什么落在后面？"那个人说："我的腰上缠着千金，很重，因此落后了。"同伴说："为什么不扔掉它？"那人不回答，摇着他的头，一会儿更加疲倦了。已经过了河的人站在岸上大声呼喊着："你太愚蠢了，太糊涂了，命都快没了，还要钱财做什么？"那人又摇了摇头，于是淹死了。我为他悲哀。如果是这样，难道没有为了更多的钱财而被淹死的大傻瓜吗？于是写《哀溺》这篇文章。

我悲哀淹死的人为钱财而丧命，更替那些大傻瓜担忧。人世间充满险风恶浪呀，波涛汹涌却没有船只。不肯舍弃利禄富贵呀，又要从旁窥探，不择手段。手忙脚乱不知所措啊，背上的包袱重于大山。身体已经下沉，脑袋露出水面，还不忍放弃财物，远离灾难。叫喊的同伴没法救他啊，他反而愈加摇头，直至沉入水里。你头发散乱地在波涛里翻滚，你的魂灵又迷惘地在哪里安顿？龟鳖一起前来争着吃你啊，鲟鱼们也群聚而来将你当做美味佳肴。一开始贪图利益吝啬财富，到头来遭祸可还抱着仇敌一样的财富。前人已经淹死了，后人还不知引以为戒呀，更加一刻不停地捞取财富。我可怜这人被愚蠢蒙蔽啊，反而毁灭自身，跟随仇敌。不估量形势的严重而纠正自己的错误，却指望侥幸而得利，人本来就比鸟鱼更聪明，为何看不见罗网和鱼钩？大生灵为大利而死，小生灵为小利而死。即使是最善于游泳的人，也为了争夺利益而丧命。与祸害同行，把死亡缠在身上。推究现在而借鉴古代，很少有能保全自己生命的。商纣王穿着宝衣自焚，荣夷公独占财物而灭亡。豺狼死时还饿着，牛到死肚子还没填饱。百姓已是懵懂无知，所以和那淹死的人都被称为氓。死了的人不值得悲哀，我希望活着的普通的人再也不要犯这种错误了。唉！

# 鞭 贾

**【题解】**

本文描写了阔少买鞭落难一事，揭露了那种腹中空空，却喜欢沽名钓誉的人的丑恶嘴脸。

**【原文】**

市之鬻鞭者，人问之，其贾宜五十，必曰五万。复之以五十，则伏而笑；以五百，则小怒；五千，则大怒；必以五万而后可。

有富者子，适市买鞭，出五万，持以夸余。视其首，则拳蹙而不遂；视其握，则蹇仄而不植；其行水者，一去一来不相承；其节朽黑而无文，掐之灭爪，而不得其所穷；举之，飘然若挥虚焉。

余曰："子何取于是而不爱五万？"曰："吾爱其黄而泽，且贾者云。"余乃召僮爚汤以濯之，则遬然枯，苍然白。向之黄者栀也，泽者蜡也。富者不悦，然犹持之三年。后出东郊，争道长乐坂下。马相踶，因大击，鞭折而为五六。马踶不已，坠于地，伤焉。视其内，则空空然，其理若粪壤，无所赖者。

今之栀其貌，蜡其言，以求贾技于朝，当其分则善，一误而过其分则喜，当其分则反怒，曰：

**“余曷不至于公卿？”然而至焉者亦良多矣。居无事，虽过三年不害。当其有事，驱之于陈力之列以御乎物，以夫空空之内，粪壤之理，而责其大击之效，恶有不折其用而获坠伤之患者乎？**

**【译文】**

市场上卖鞭子的人，有人问他价钱，鞭子本来值五十，他一定说五万。还价到五十，他就笑得弯下了腰；还价到五百，他就有点儿生气；还价到五千，他就大怒；一定要人家出五万才行。

有个富家子弟，到市场上买鞭子，花了五万文，拿来向我夸耀。看那鞭鞘，卷曲而不舒展；看鞭的握柄，歪斜而不直；鞭末的皮筋，来回不相衔接；鞭的结节朽黑而没有花纹，指甲一掐就陷入，而且还没有陷到底；将它举起来，轻飘飘地好像什么也没挥动。

我说：“你为什么买这样一根鞭子，却不爱惜那五万文钱呢？”他说：“我爱它黄黄的颜色而且富有光泽，卖鞭的人说它怎么怎么好。”我就叫仆人烧水洗鞭子，一洗鞭子就萎缩发枯，变成了灰白色。原来黄色是栀子汁染的，光泽是蜡涂的。富家子很不高兴，但仍拿着鞭子用了三年。他后来出城去东郊，在长乐坂下和别人抢道。两人的马互相踢起来，富家子用马鞭猛地抽马，鞭子断成五六节。马仍然踢个不休，富家子从马上摔下来，受了伤。看看鞭子里面是空空的，它的质地像粪土一样，根本靠不住。

现在用栀子染色似地伪装外貌，用蜡上光似地粉饰语言，以求在朝廷上兜售他的能耐的人，给他个适合实际能力的职位当然很好，一旦错误地给他个超过实际能力的职位就很高兴，给他适合实际能力的职位他反而生气，说：“我为什么当不上公卿呢？”然而这样的人当上公卿的也很多。如果国家不遇大事,即使经过三年也没什么妨害。当国家遇上大事时,派他们到需要出力的岗位去处理事情,凭他们腹内空空、粪土一样的素质,而要求他们尽力效劳,怎么可能会没有不败坏使命而招致坠地摔伤似的祸患呢?

## 段太尉逸事状

**【题解】**

本文着力塑造了段太尉不畏强暴、耿介正直、廉洁奉公的形象,全文材料典型精当,不枝不蔓。

**【原文】**

太尉始为泾州刺史时,汾阳王以副元帅居蒲。王子晞为尚书,领行营节度使,寓军邠州,纵士卒无赖。邠人偷嗜暴恶者,率以货窜名军伍中,则肆志,吏不得问。日群行丐取于市,不嗛,辄奋击折人手足,椎釜鬲瓮盎盈道上,袒臂徐去,至撞杀孕妇人。邠宁节度使白孝德以王故,戚不敢言。

太尉自州以状白府,愿计事,至则曰:“天子以生人付公理,公见人被暴害,因恬然,且大乱,若何?”孝德曰:“愿奉教。”太尉曰:“某为泾州,甚适,少事,今不忍人无寇暴死,以乱天子边事。公诚以都虞候命某者,能为公已乱,使公之人不得害。”孝德曰:“幸甚!”如太尉请。

既署一月,晞军士十七人入市取酒,又以刃刺酒翁,坏酿器,酒流沟中。太尉列卒取十七人,皆断头注槊上,植市门外。晞一营大噪,尽甲。孝德震恐,召太尉曰:“将奈何?”太尉曰:“无伤也。请辞于军。”孝德使数十人从太尉,太尉尽辞去,解佩刀,选老躄者一人持马,至晞门下。甲者出,太尉笑且入,曰:“杀一老卒,何甲也?吾戴吾头来矣。”甲者愕,因谕曰:“尚书固负若属耶?副元帅固负若属耶?奈何欲以乱败郭氏?为白尚书,出听我言。”

晞出,见太尉。太尉曰:“副元帅勋塞天地,当务始终。今尚书恣卒为暴,暴且乱,乱天子边,欲谁归罪?罪且及副元帅。今邠人恶子弟以货窜名军籍中,杀害人,如是不止,几日不大乱?大乱由尚书出,人皆曰尚书倚副元帅,不戢士,然则郭氏功名,其与存者几何?”言未毕,晞再拜曰:“公幸教晞以道,恩甚大,愿奉军以从。”顾叱左右曰:“皆解甲,散还火伍中,敢哗者死!”太尉曰:“吾未晡食,请假设草具。”既食,曰:“吾疾作,愿留宿门下。”命持马者去,旦日来。遂卧军中。晞不解衣,戒候卒击柝卫太尉。旦,俱至孝德所,谢不能,请改过。邠州由是无祸。

先是,太尉在泾州为营田官。泾大将焦令

谌取人田，自占数十顷，给与农，曰：“且熟，归我半。”是岁大旱，野无草，农以告谌。谌曰：“我知入数而已，不知旱也。”督责益急。农且饥死，无以偿，即告太尉。

太尉判状，辞甚巽，使人求谕谌。谌盛怒，召农者曰：“我畏段某耶？何敢言我！”取判铺背上，以大杖击二十，垂死，舆来庭中。太尉大泣曰：“乃我困汝！”即自取水洗去血，裂裳衣疮，手注善药，旦夕自哺农者，然后食。取骑马卖，市谷代偿，使勿知。

淮西寓军帅尹少荣，刚直士也。入见谌，大骂曰：“汝诚人耶？泾州野如赭，人且饥死，而必得谷，又用大杖击无罪者。段公，仁信大人也，而汝不知敬。今段公惟一马，贱卖市谷入汝，汝又取不耻。凡为人，傲天灾、犯大人、击无罪者，又取仁者谷，使主人出无马，汝将何以视天地，尚不愧奴隶耶？”谌虽暴抗，然闻言则大愧流汗，不能食，曰：“吾终不可以见段公。”一夕，自恨死。

及太尉自泾州以司农征，戒其族：“过岐，朱泚幸致货币，慎勿纳。”及过，泚固致大绫三百匹，太尉婿韦晤坚拒，不得命。至都，太尉怒曰：“果不用吾言！”晤谢曰：“处贱，无以拒也。”太尉曰：“然终不以在吾第。”以如司农治事堂，栖之梁木上。泚反，太尉终，吏以告泚，泚取视，其故封识具存。

太尉逸事如右。

元和九年月日，永州司马员外置同正员柳宗元谨上史馆。今之称太尉大节者出入，以为武人一时奋不虑死，以取名天下，不知太尉之所立如是。宗元尝出入岐、周、邠、斄间，过真定，北上马岭，历亭鄣堡戍，窃好问老校退卒，能言其事。太尉为人姁姁，常低首拱手步行，言气卑弱，未尝以色待物；人视之，儒者也。遇不可，必达其志，决非偶然者。会州刺史崔公来，言信行直，备得太尉遗事，覆校无疑。或恐尚逸坠，未集太史氏，敢以状私于执事。谨状。

【译文】

段太尉刚担任泾州刺史时，汾阳王郭子仪以副元帅的身份驻扎在蒲州。他的儿子郭晞担任尚书，兼任行营节度使，驻扎在邠州，放纵士兵胡作非为。邠州人中那些狡黠贪婪、强横凶暴的家伙，大都用贿赂的手段混入军队中，于是为所欲为，官吏都不敢过问。他们每天成群结队在街市强索财物，得不到满足时，就用武力打断别人的手足，用棍棒把各种瓦器砸得满街都是，然后裸露着臂膀扬长而去，甚至撞死怀孕的妇女。邠宁节度使白孝德因为汾阳王的缘故，心中忧虑，却不敢明说。

段太尉从泾州用文书报告节度使府，希望商量这件事。到了白孝德府中，他就说："天子将百姓交给您治理，您看到百姓受到残暴的伤害，却无动于衷。大乱将要发生，怎么办呢？"白孝德说："愿意听您的

指教。”段太尉说：“我担任泾州刺史，很空闲，事务少；现在不忍心看到百姓没有外敌侵扰却横遭杀害，来扰乱天子的边防。您如果真的任命我担任都虞候，我能够替您制止暴乱，使您的百姓不再受到伤害。”白孝德说：“太好了！”就答应了段太尉的要求。

段太尉代理都虞候一个月以后，郭晞部下十七人到街市上买酒，又用刀刺伤卖酒的老头，砸坏酒器，酒流进沟中。段太尉布置士兵抓获了这十七人，全部砍头，把头挂在长矛上，竖立在市门外。郭晞全军都骚动起来，纷纷披上铠甲。白孝德惊慌失措，叫来段太尉说：“怎么办呢？”段太尉说：“没有关系，让我到郭晞军中去说理。”白孝德派几十名士兵跟随段太尉前往，太尉全部推辞掉了。他解下佩刀，选了一个又老又跛的士兵牵马，来到郭晞门下。全副武装的士兵涌出来，段太尉边笑边进去说：“杀一个老兵，何必全副武装呢？我顶着我的脑袋来了！”武士们大惊。段太尉于是说：“郭尚书难道对不起你们吗？副元帅难道对不起你们吗？为什么要用暴乱来败坏郭家的名声？为我报告郭尚书，请他出来听我说话。”

郭晞出来见太尉。段太尉说：“副元帅的功劳天高地厚，应该力求全始全终。现在您放纵士兵胡闹，这样将会造成变乱，扰乱天子边地，应该归罪于谁呢？罪将连累到副元帅身上。现在邠州那些邪恶的人用贿赂的手段混入军中，杀害百姓，这样不制止的话，还能有多久不会发生大乱呢？大乱从您这儿发生，人们都说您是依仗了副元帅的势力，不约束士兵。那么，郭家的功名还能保存多少呢？”话还没说完，郭晞再拜说：“承蒙您用道义来教导我，恩情真大，我愿率全军听从您。”郭晞呵斥手下士兵说：“全都解下铠甲，解散回到自己的军营中去，谁敢喧哗闹事，格杀勿论！”段太尉说：“我还没吃晚饭，请为我代办点简单的食物。”吃完饭以后，又说：“我的病又犯了，希望在您营中留宿。”太尉命令牵马的人回去，明天再来。于是他就睡在营中。郭晞连衣服也不脱，命卫士敲着梆子保卫段太尉。第二天一早，郭晞和段太尉一起来到白孝德府邸，道歉说自己实在无能，请求允许改正错误。邠州从此没有了祸乱。

在这以前，段太尉在泾州担任营田副使。泾州大将焦令谌掠夺别人的田地，自己强占了几十顷，租给农民，说：“到庄稼成熟时，交一半给我。”这一年大旱，田野寸草不生，农民将灾情报告焦令谌。焦令谌说：“我只知道收入的数量，不知旱情。”催逼更急。农民饿得快死了，没有东西交租，只得去求告段太尉。

段太尉写了份判决书，口气非常温和，派人通知焦令谌。焦令谌很生气，把农民叫来说：“我怕姓段的吗？你怎么敢告发我！”他把判决书铺在农民背上，用粗木棍重打二十下，打得奄奄一息，抬到太尉府中。段太尉放声大哭说：“是我害苦了你呀！”就亲自取水洗去农民身上的血迹，撕下衣服为他包扎伤口，亲自为他敷上良药，早晚亲自喂农民，然后自己再吃饭。又把自己的坐骑卖掉，买来谷子代农民还租，还叫农民不要让焦令谌知道。

淮西客军主帅尹少荣，是个刚毅正直的人。他进去求见焦令谌，大骂道："你还是人吗？泾州赤地千里，人都快饿死了；你却一定要得到谷子，又用大棍击打无罪的人。段公，是仁义而又讲信用的人，你却不知敬重。现在段公唯一的坐骑，贱卖以后买来谷子交给你，你又收下而不知羞耻。大凡一个不顾天灾、冒犯长者、重打无罪的人，又收下仁者的谷子，使主人出门没有马骑，怎么对得起天地，恐怕连奴隶之类的人也对不起呢！"焦令谌虽然强横，然而听了这番话后，却惭愧得大汗淋漓，以致不能进食，说："我再也无脸见段公了！"一天晚上，焦令谌悔恨而亡。

等到段太尉从泾州任上被征为司农卿，临行时他告诫家人说："经过岐州时，朱泚可能会送来钱物，千万不能收。"等到过岐州时，朱泚执意要送三百匹大绫。段太尉的女婿韦晤坚决不收，但没有得到朱泚的同意。到了京城，段太尉生气地说："果真不听我的话！"韦晤谢罪说："我地位卑微，无法拒绝呀。"段太尉说："但不能把大绫放在我家里。"就派人把它送到司农卿的办公处，安放在梁木上。朱泚谋反，段太尉遇害，官吏把这个情况报告给朱泚，朱泚取下一看，大绫上面原来封存的标记都还在。

段太尉的逸事如上所述。

元和九年某月某日，永州司马员外郎置同正员柳宗元恭谨地献给史馆。现在称赞太尉大节的人有出入，认为那是武人一时冲动而奋不顾身，以便留名天下，不知太尉的所作所为一贯如此。我曾经在岐、周、邠、斄之间来往，经过真定，北上马岭，游历了亭障堡垒等军事设施，私下里访问年老和退休的将士，他们都能介绍段太尉的事迹。太尉为人谦和，经常低着头、拱着手走路，说话的声息低微，从来不把脸色给人看；在人们看来，他完全是个儒者。但是，遇到他认为错误的东西，一定要按自己的意志办，绝不是偶然的。适逢永州刺史崔公来访，他言而有信、行为正直，详细搜罗段太尉遗事，核对无误。我担心还有遗漏，没有被史官采录，因此我斗胆把这些情况私下告诉您。谨为此状。

## 童区寄传

**【题解】**

本文刻画了少年区寄机智勇敢、临危不惧的性格，表现了作者对劳动人民的衷心赞美，对黑暗政治的无比痛恨。

**【原文】**

柳先生曰：越人少恩，生男女，必货视之。自毁齿已上，父兄鬻卖，以觊其利。不足，则盗取他室，束缚钳梏之。至有须鬣者，力不胜，皆屈为僮。当道相贼杀以为俗。幸得壮大，则缚取幺弱者。汉官因以为己利，苟得僮，恣所为不问。以是越中户口滋耗。少得自脱，惟童区寄以十一岁胜，斯亦奇矣。桂部从事杜周士为余言之。

童寄者，郴州荛牧儿也。行牧且荛，二豪贼劫持，反接，布囊其口，去逾四十里，之墟所卖之。寄伪儿啼，恐栗，为儿恒状。贼易之，对饮，酒醉。一人去为市；一人卧，植刃道上。童微伺其睡，以缚背刃，力下上，得绝，因取刃杀之。逃未及远，市者还，得童，大骇，将杀童。遽曰："为两郎僮，孰若为一郎僮耶？彼不我恩也；郎诚见完与恩，无所不可。"市者良久计，曰："与其杀是僮，孰若卖之？与其卖而分，孰若吾得专焉？幸而杀彼，甚善。"即藏其尸；持僮抵主人所，愈束缚牢甚。夜半，童自转，以缚即炉火，烧绝之。虽疮手，无惮。复取刃，杀市者。因大号，一墟皆惊。童曰："我区氏儿也，不当为僮，贼二人得我，我幸皆杀之矣。愿以闻于官。"

墟吏白州，州白大府。大府召视儿，幼愿耳。刺史颜证奇之，留为小吏，不肯。与衣裳，吏护还之乡。乡之行劫缚者侧目，莫敢过其门，皆曰："是儿少秦武阳二岁，而计杀二豪，岂可近耶？"

**【译文】**

柳先生说：越地的人缺少恩爱之情，生了小孩，必定把他们当作货物来看待。从他们换牙开始，父兄就卖掉他们图财。假如自己的孩子不够，就偷别人家的，将他们绑起来，戴上镣铐。甚至有些成年人，力气比不过人家，也都屈服做了僮仆。这样导致在大路上互相抢劫、残杀成了习俗。而孩子侥幸能够长大成人，就去捕捉其他幼弱的人。汉族官僚就把这当做谋利的手段，只要能够得到僮仆，听任那些坏人胡作非为而不加过问，因此越地的人口日益减少。遇见此种情况，很少有人能自己逃脱，只有区寄这孩子在十一岁时成功地逃脱了，这也算是很惊奇的事了。桂部从事杜周士给我讲了这件事。

区寄是郴州打柴放牧的孩子。他一边放牧一边打柴，两个强盗劫持了他，将他反绑起来，用布袋捂住他的嘴巴，准备到四十里以外的集市上去卖掉他。区寄假装啼哭，恐惧地发抖，就像平常小孩的样子。强盗小看他，两人相对饮酒，喝醉了。一人去找买主，另一人躺下，将刀插在路上。区寄暗暗看着他睡着，将绳子靠在刀刃上，上下用力，绳子断了，于是拿过刀来把那个人杀了。还没逃多远，找买主的那个人回来了，抓住区寄，他非常害怕，要杀区寄。区寄说："当两个人的奴仆，哪里比得上当一个人的奴仆呢？他不恩待我，您如果能保全我的性命，以恩德待我，您要怎么办都行。"找买主的那个人想了很久，说："与其杀了这个孩子，不如把他卖了呢！与其卖了两个人分钱，不如一个人独占呢！幸亏把那个人杀了，太好了。"于是就把那人的尸体藏起来，抓着区寄来到买主的家，把他绑得更加结实了。半夜里，区寄自己转过身来，将捆他的绳子靠近炉火，把绳子烧断了。虽然烧伤了手，区寄也不害怕。他又操起刀，杀了那个找买主的人，并趁机大喊，把整个集市都惊动了。区寄说："我是区家的孩子，不应该当奴仆。两个强盗抓住了我，我侥幸把他们都杀死了。我希望把这件事向官府报告。"

管理市场的官吏报告州官，州官报告上级。上级召见了区寄，见他不过是个年幼老实的孩子。刺史颜证认为他是个奇才，要他留下来做个小吏，区寄不肯。刺史赏给他衣服，派官吏护送他回乡。乡里那些劫持小孩的人不敢正眼看他，没人敢经过他的门，都说："这个孩子比秦武阳小两岁，却用计杀死了两个强盗，我们怎么敢接近他呢？"

# 始得西山宴游记

**【题解】**

本文为《永州八记》首篇，通过对西山景物的描写，表现了作者不以受贬为念，而“与万物冥合”，欣然投入大自然怀抱的豁达情怀。

**【原文】**

自余为僇人，居是州，恒惴栗。其隙也，则施施而行，漫漫而游，日与其徒上高山，入深林，穷回溪。幽泉怪石，无远不到；到则披草而坐，倾壶而醉；醉则更相枕以卧，卧而梦。意有所极，梦亦同趣；觉而起，起而归。以为凡是州之山水有异态者，皆我有也，而未始知西山之怪特。

今年九月二十八日，因坐法华西亭，望西山，始指异之。遂命仆人过湘江，缘染溪，斫榛莽，焚茅茷，穷山之高而止。攀援而登，箕踞而遨，则凡数州之土壤，皆在衽席之下。其高下之势，岈然洼然，若垤若穴；尺寸千里，攒蹙累积，莫得遁隐；萦青缭白，外与天际，四望如一。然后知是山之特立，不与培塿为类。悠悠乎与颢气俱，而莫得其涯！洋洋乎与造物者游，而不知其所穷。引觞满酌，颓然就醉，不知日之入。苍然暮色，自远而至，至无所见，而犹不欲归，心凝形释，与万化冥合。然后知吾向之未始游，游于是乎始。故为之文以志。是岁，元和四年也。

**【译文】**

自从我成为朝廷罪人，住在这个州，心中就常常忧惧不安。有空闲的时候，就缓缓而行，毫无目的地游逛，每天与同伴们登上高山，进入幽深的树林里，沿着曲折的溪水一直走到它的尽头。只要有幽泉和怪石的地方，无论多远，都没有不到的；到了我们就分开杂草坐下，倒出壶中的酒，喝得大醉；醉了以后就互相枕靠着躺下，躺下来就做梦。心中想到哪里，梦就做到哪里；睡醒了就起来，起来就回家。我自以为这个州凡有点奇异的山水，都被我游遍了，但从不知道西山的怪异和奇特。

今年九月二十八日，我们坐在法华寺西边的亭子里，遥望西山，才指点着觉得西山不平常。就叫仆人过湘江，沿着染溪，砍去杂树，烧掉茅草，一直到山顶才停下。我们攀沿着登上西山，叉腿坐下眺望四周，只见几州的土地，都在我们的坐席下面。那些高高低低的地形，有的深邃，有的低凹，有的像土堆，有的像洞穴；千里的距离仿佛仅在尺寸之间，各种景物聚集紧缩，层层堆叠在眼前，没有一点隐藏。青山白水互相萦绕，远处与天相接，四望浑然一体。这才知道这座山奇特高耸，与小山丘不是同类。悠远浩渺与天地之气相通，找不到它的边际。心胸舒畅与大自然同游，不知道它的尽头！我们拿起酒杯满饮，昏昏沉沉进入醉乡，不知道太阳已经下山。苍茫的暮色，从远处而来，直到天黑看不见，我们还不想回去，心神凝定，形体仿佛已消散，同万物融为一体。这才知道我以前还不曾游览过，真正的游览从这儿开始。因此写下这篇文章来记述今天的游兴。这一年，是元和四年。

## 至小丘西小石潭记

**【题解】**

本文写小石潭周围景物的凄寒寂寥，潭中小鱼的乐而无忧，衬托着作者落落寡欢的心境。全文描摹细致入微，生动传神。

**【原文】**

从小丘西行百二十步，隔篁竹，闻水声，如鸣珮环，心乐之。伐竹取道，下见小潭，水尤清洌。全石以为底，近岸，卷石底以出，为坻，为屿，为嵁，为岩。青树翠蔓，蒙络摇缀，参差披拂。

潭中鱼可百许头，皆若空游无所依。日光下澈，影布石上，佁然不动，俶尔远逝，往来翕忽，似与游者相乐。

潭西南而望，斗折蛇行，明灭可见。其岸

**势犬牙差互，不可知其源。**

**坐潭上，四面竹树环合，寂寥无人，凄神寒骨，悄怆幽邃。以其境过清，不可久居，乃记之而去。**

**同游者：吴武陵，龚古，余弟宗玄。隶而从者，崔氏二小生：曰恕己，曰奉壹。**

**【译文】**

从小丘往西走一百二十步，隔着竹丛，听见潺潺的水声，好像佩玉叮当作响，我心里真高兴。砍掉竹子，开辟出道路，只见下面有一个小水潭，潭水特别清澈。潭底由整块石头构成，靠近岸边的地方，潭底石头有些部分向上翻卷露出水面，形成小洲、小岛和不平的山石。四周绿树翠藤，互相掩映缠绕，摇曳连接，参差不齐，随风飘拂。

潭中的鱼儿大约有一百条，都像在空中游动，毫无依附。阳光一直照到潭底，鱼儿的影子映在石头上，呆呆地一动也不动，忽然游到远处，往来就在顷刻之间，好像在和游人取乐。

往潭的西南望去，只见溪水像北斗星般曲折，像游蛇般蜿蜒，忽隐忽现。溪岸地势犬牙交错，没法探知它的源头。

坐在潭边，四周竹木环抱，寂寥而空无一人。心神凄凉，寒气透骨，那幽深的情境使人忧伤。因为这地方过于凄清冷寂，不能久留，于是就把当时的情景记下来便离去了。

同我一起游览的人有吴武陵、龚古、我弟弟宗玄。跟我们同游的，还有两个姓崔的青年，一个叫恕己，一个叫奉壹。

# 欧阳修

欧阳修(1007－1072)，字永叔，号醉翁，自称六一居士。吉州永丰(今江西省吉安市永丰县)人。四岁丧父。家境贫寒，其母以芦荻画地教欧阳修读书写字。宋仁宗天圣八年(1030)进士，从政以后，他积极支持和参与范仲淹主持的“庆历新政”这一政治革新运动。因直言敢谏，多次被贬出京。晚年迁为枢密副使、参知政事等职。

欧阳修被称为北宋文坛的领袖，他成功地领导了北宋诗文革新运动，结束了骈文独霸文坛和西昆体统治诗坛的局面，开创了一种平易畅达、含蓄委婉的文风，为宋代散文的健康发展奠定了基础。欧阳修不仅自己在文史方面有众多的建树，而且发现和奖掖了三苏父子、王安石、曾巩等一批优秀的人才。有《欧阳文忠公集》。

## 醉翁亭记

**【题解】**

本文记叙了作者与游伴在亭中开怀畅饮的情景，描写了亭外变化无穷的山水风光，表达了作者与民同乐的爱民思想。

**【原文】**

环滁皆山也。其西南诸峰，林壑尤美。望

之蔚然而深秀者，琅琊也。山行六七里，渐闻水声潺潺而泻出于两峰之间者，酿泉也。峰回路转，有亭翼然临于泉上者，醉翁亭也。作亭者谁？山之僧智仙也。名之者谁？太守自谓也。太守与客来饮于此，饮少辄醉，而年又最高，故自号曰醉翁也。醉翁之意不在酒，在乎山水之间也。山水之乐，得之心而寓之酒也。

若夫日出而林霏开，云归而岩穴暝，晦明变化者，山间之朝暮也。野芳发而幽香，佳木秀而繁阴，风霜高洁，水落而石出者，山间之四时也。朝而往，暮而归，四时之景不同，而乐亦无穷也。

至于负者歌于途，行者休于树，前者呼，后者应，伛偻提携，往来而不绝者，滁人游也。临溪而渔，溪深而鱼肥，酿泉为酒，泉香而酒洌，山肴野蔌，杂然而前陈者，太守宴也。宴酣之乐，非丝非竹。射者中，弈者胜，觥筹交错，起坐而喧哗者，众宾欢也。苍颜白发，颓然乎其间者，太守醉也。

已而夕阳在山，人影散乱，太守归而宾客从也。树林阴翳，鸣声上下，游人去而禽鸟乐也。然而禽鸟知山林之乐，而不知人之乐；人知从太守游而乐，而不知太守之乐其乐也。醉能同其乐，醒能述以文者，太守也。太守谓谁？庐陵欧阳修也。

**【译文】**

滁州四面都被群山环抱。它西南方的几座山峰，树林和山谷分外秀美。一眼望去，那树木郁郁葱葱、幽深秀丽的，便是琅琊山。上山走六七里路，渐渐听到潺潺的流水声，从两座山峰之间倾泻而出的，是酿泉。峰回路转，有一座亭子像鸟儿展翅似地矗立在泉水边，那就是醉翁亭。建造亭子的是谁？是山里的和尚智仙。给亭子命名的是谁？是自称“醉翁”的太守，用自己的名字来命名的。太守和客人到这里饮酒，喝一点点就醉了，他年纪又最大，所以自称醉翁。醉翁到这里来的目的不是为了喝酒，而在于欣赏这里的山水美景。欣赏山水风光的乐趣，心里领会了，又寄托在酒中。

太阳出来，山林里的雾气散开，云雾聚积，山洞就变得幽暗，这明暗的变化，就是山林中的清晨和傍晚。野花开放，幽香四溢，佳木秀美，浓荫掩映，天高气爽，霜色洁白，水势低落，山石显露，这是山中的四季。早去晚归，四季的景色不同，游人的乐趣也是无穷无尽的。

背着东西的人在山路上唱歌，过路人在树下休息，人们前呼后应，弯腰曲背的老人和要人搀扶的孩子，来来往往没有间断，那是来这里游玩的滁州人。在溪边钓鱼，溪深鱼肥；用泉水酿酒，泉水清香，美酒甘洌；各种野味和蔬菜，杂乱地摆放在面前，这是太守在举行宴会。宴饮的乐趣，不是丝竹音乐，而是投壶的中了，下棋的赢了，觥筹交错，有的站起，有的坐下，大呼小叫，那是客人们在欢闹。面容苍老，头发斑白，昏昏沉沉坐在人们中间的，那是太守喝醉了。

不久，太阳落山了，人影散乱，太守回城，客人们紧紧跟随。树林幽暗，鸟鸣声忽上忽下，那是游客离去，鸟儿高兴了；然而鸟儿只知道山林的乐趣，不知道游人的乐趣；人们只知道跟着太守游玩的乐趣，但不知道太守的乐趣。喝醉了，能和大家一起欢乐；酒醒了，能用文字记述这种乐趣的，是太守。这个太守是谁呢？是庐陵人欧阳修。

## 相州昼锦堂记

**【题解】**

本文塑造了主人公“德被生民”、“功施社稷”的高大形象，表达了作者鄙薄那种作威作福、趾高气扬、小人得志的做派。文章运用对比手法，有破有立，爱憎分明。

**【原文】**

仕宦而至将相，富贵而归故乡，此人情之所荣，而今昔之所同也。盖士方穷时，困厄闾里，庸人孺子皆得易而侮之，若季子不礼于其嫂，买臣见弃于其妻。一旦高车驷马，旗旄导前而骑卒拥后，夹道之人，相与骈肩累迹，瞻望咨嗟，而所谓庸夫愚妇者，奔走骇汗，羞愧俯伏，以自悔罪于车尘马足之间。此一介之士得志于当时，而意气之盛，昔人比之衣锦之荣者也。

惟大丞相魏国公则不然。公，相人也。世有令德，为时名卿。自公少时，已擢高科、登显仕，海内之士闻下风而望余光者，盖亦有年矣。所谓将相而富贵，皆公所宜素有，非如穷厄之人侥幸得志于一时，出于庸夫愚妇之不意，以惊骇而夸耀之也。然则高牙大纛不足为公荣，桓圭衮冕不足为公贵；惟德被生民而功施社稷，勒之金石，播之声诗，以耀后世而垂无穷：此公之志，而士亦以此望于公也。岂止夸一时而荣一乡哉！

公在至和中，尝以武康之节来治于相，乃作昼锦之堂于后圃。既，又刻诗于石以遗相人。其言以快恩仇、矜名誉为可薄，盖不以昔人所夸者为荣，而以为戒。于此见公之视富贵为何如，而其志岂易量哉！故能出入将相，勤劳王家，而夷险一节。至于临大事、决大议，垂绅正笏，不动声色而措天下于泰山之安，可谓社稷之臣矣！其丰功盛烈，所以铭彝鼎而被弦歌者，乃邦家之光，非闾里之荣也。

余虽不获登公之堂，幸尝窃诵公之诗，乐公之志有成，而喜为天下道也，于是乎书。

尚书吏部侍郎、参知政事欧阳修记。

【译文】

做官一直做到将军、宰相，富贵后回到家乡，这从人之常情来说是光荣的，从古到今都是这个样。读书人还没有发达的时候，困居在乡里，平庸的人和小孩子都能很轻易地欺侮他，就像苏秦不被他的嫂子所礼遇，朱买臣被他妻子所抛弃那样。一旦他坐上高车驷马，旗帜在前面开道，骑兵在后面簇拥，道路两旁的人，摩肩接踵，一边观望一边赞叹，那些平庸的人和愚昧的妇人，吓得奔跑流汗，羞愧地俯伏在地上，在车马扬起的尘土中后悔自己犯下的错误。这是一个小小的读书人得志时的情景，他意气风发，从前的人就将这比作穿着锦缎的荣耀。

大丞相魏国公却不是这样。魏国公是相州人，家中世代有美德，是当时的名臣。他年轻的时候，就已经荣登高第，做了大官，天下的读书人听说后都甘拜下风，希望瞻仰他的光彩，这种状况都持续了好多年。人们所说的官拜将相，身享富贵，都是魏国公平素拥有的，不像困厄的人在某一时候侥幸得志，出于庸人和愚昧妇人的意料之外，使他们感到惊讶，向他们夸耀。然而威严的仪仗不足以体现魏国公的荣耀，硕大的玉圭和高官的服饰不足以体现魏国公的尊贵；只有将美德施与百姓，功勋献给国家，刻在金石上，在音乐和诗歌中传唱，使荣耀流传后世，功名永垂千古，这才是魏国公的志向。而读书人也在这一方面对魏国公寄予厚望。到了这个地步，哪里只是夸耀一时、荣耀一方呢！

魏国公在至和年间，曾经以武康军节度使的身份治理过相州，于是在后园修建了一个昼锦堂。竣工以后，又在石头上刻诗，留给相州人。诗里认为以计较恩仇为乐事，以沽名钓誉为光荣的做法是可耻的。他不把从前人们所夸耀的事情当做荣耀，却引以为戒。从这件事上就可看出他是怎么看待富贵的，他的大志向怎么能轻易估量出来！因此他能担任将相，辛勤地为皇上办事，在平时和关键时刻都不改变气节。到了面临大事、决定大计的时候，他衣着整齐，笏板拿得端正，不动声色，把国家治理得像泰山一样安稳，可以说是国家的重臣呀！他的丰功伟绩，被铭刻在彝鼎上，并在歌中流传，这是国家的光荣，而不单是一乡的光荣。

我虽无缘登上魏国公的昼锦堂，但有幸私下里读过他的诗，为他的志向得以实现感到高兴，乐于向天下人称道。因此写下了这篇文章。

尚书吏部侍郎、参知政事欧阳修记。

# 秋声赋

**【题解】**

文章勾画了一幅萧条肃杀的秋景图，抒发了作者感伤、惆怅的情怀。欧阳修笔下的秋声，活灵活现，形状可掬，表现出作者写景状物的非凡功力。

**【原文】**

欧阳子方夜读书，闻有声自西南来者，悚然而听之，曰："异哉！"初淅沥以萧飒，忽奔腾而砰湃，如波涛夜惊，风雨骤至。其触于物也，鏦鏦铮铮，金铁皆鸣；又如赴敌之兵，衔枚疾走，不闻号令，但闻人马之行声。予谓童子："此何声也？汝出视之。"童子曰："星月皎洁，明河在天，四无人声，声在树间。"

予曰："噫嘻悲哉！此秋声也，胡为而来哉？盖夫秋之为状也：其色惨淡，烟霏云敛；其容清明，天高日晶；其气栗冽，砭人肌骨；其意萧条，山川寂寥。故其为声也，凄凄切切，呼号愤发。丰草绿缛而争茂，佳木葱茏而可悦；草拂之而色变，木遭之而叶脱；其所以摧败零落者，乃其一气之余烈。

"夫秋，刑官也，于时为阴；又兵象也，于行为金。是谓天地之义气，常以肃杀而为心。天之于物，春生秋实，故其在乐也，商声主西方之音，夷则为七月之律。商，伤也，物既老而悲伤；夷，戮也，物过盛而当杀。

“嗟乎！草木无情，有时飘零。人为动物，惟物之灵。百忧感其心，万事劳其形，有动于中，必摇其精。而况思其力之所不及，忧其智之所不能，宜其渥然丹者为槁木，黟然黑者为星星。奈何以非金石之质，欲与草木而争荣？念谁为之戕贼，亦何恨乎秋声！”

童子莫对，垂头而睡。但闻四壁虫声唧唧，如助予之叹息。

**【译文】**

夜里我正在看书，听见有响声从西南方向传来，吃惊地听了听，说：“奇怪啊！”开始时淅淅沥沥像雨声，又像是呼啸的风声，忽然奔腾澎湃，仿佛夜里汹涌的波涛，又好似骤然而至的一场狂风暴雨。它碰到外物，锹锹铮铮，像是铜铁相撞的声音；又像奔赴前线的将士，衔枚迅跑，听不见号令，只听见人马的脚步声。我对书童说：“这是什么声音？你出门看看。”书童说：“星月皎洁，银河挂在天上，四处没有人声，声音在树林中。”

我说：“哎呀！可悲呀！这是秋天的声音，怎么来的呢？秋天的情景是这样的：它的颜色惨淡，烟雾消散，云气收敛；它的面容清新明净，天高气爽，阳光明亮；它的气息寒冷，砭人肌骨；它的意境萧条，山川寂寥。因此它的声音悲悲切切，就像人在发愤呼喊。芳草萋萋，争相生长，秀树蓊郁，十分可爱；但青草在秋风吹拂下改变了颜色，树木遭受秋风扫荡而落光了叶子；草木摧败凋零的原因，那是那秋气的余威造成的啊。

“秋天，是司寇用刑的时候，在季节上属于阴；是战争的象征，在五行中属于金；这就是人们常说的天地间的正义之气，常以肃杀作为核心。大自然对于万物，让它们在春天生长，秋天结果。因此在音乐方面，商声是主宰西方的声音，夷就是七月的音律。商，是伤的意思，万物老了就要悲伤；夷，是杀戮的意思，万物过于兴盛，就会衰亡。

“唉！草木是没有感情的，到了时候就会凋零。人是动物，是万物的灵长，各种忧虑来扰乱他的心神，各种事情来劳累他的身体，内心受到刺激，必然耗费精力。何况要思考他的力量和智力所达不到的事情，当然会使他红润的脸色变得枯槁，使他乌黑的头发变得花白。为什么要用并非金石的肌体去与草木争荣斗胜呢？想想是谁戕害了自己，又何必抱怨这秋声？”

书童没有回答，低头睡着了。只听见四周墙脚虫声唧唧，好像是陪着我叹息。

# 五代史伶官传序

**【题解】**

本文通过对后唐庄宗李存勖先盛后衰这一过程的分析，总结出一条深刻的历史教训：忧劳可以兴国，逸豫可以亡身。全文运用了对比的手法，增强了文章的说服力。

**【原文】**

呜呼！盛衰之理，虽曰天命，岂非人事哉！原庄宗之所以得天下，与其所以失之者，可以知之矣。

世言晋王之将终也，以三矢赐庄宗而告之曰："梁，吾仇也；燕王吾所立，契丹与吾约为兄弟，而皆背晋以归梁，此三者，吾遗恨也。与尔三矢，尔其无忘乃父之志！"庄宗受而藏之于庙。其后用兵，则遣从事以一少牢告庙，请其矢，盛以锦囊，负而前驱，及凯旋而纳之。

方其系燕父子以组，函梁君臣之首，入于太庙，还矢先王而告以成功，其意气之盛，可谓壮哉！及仇雠已灭，天下已定，一夫夜呼，乱者四应，仓皇东出，未及见贼而士卒离散，君臣相顾，不知所归，至于誓天断发，泣下沾襟，何其衰也！岂得之难而失之易欤？抑本其成败之迹

**而皆自于人欤？**

**《书》曰："满招损，谦得益。"忧劳可以兴国，逸豫可以亡身，自然之理也。故方其盛也，举天下之豪杰莫能与之争；及其衰也，数十伶人困之而身死国灭，为天下笑。夫祸患常积于忽微，而智勇多困于所溺，岂独伶人也哉！作《伶官传》。**

**【译文】**

唉！国家盛衰的规律，虽说是天意，难道不也是人事在起作用吗！推究后唐庄宗之所以取得天下以及他失去天下的原因，就能明白这个道理了。

世人说晋王李克用临终的时候，把三枝箭赐给庄宗，并告诉他说："梁，是我们的仇敌；燕王是我扶植的，契丹和我结为兄弟，可是他们都背叛了我去投靠梁王。这三件事是我的遗恨。给你三枝箭，你千万不要忘记你父亲的遗志啊！"庄宗接过箭，把它藏在宗庙里。此后每次出兵打仗，就派部下用一猪一羊到宗庙祭祀，请出那三枝箭，用锦囊装着，背着在前面开路，等打了胜仗回来，再送回原处。

当他用绳子捆绑燕王父子，用木匣装着后梁君臣的首级，送进太庙，把箭还给先王，并把大功告成的消息告慰先王的在天之灵，那意气风发的样子，是何等壮观啊！等到仇敌已被消灭，天下已经安定，只有一个武夫在夜里一声呼喊，叛乱的人就四处响应，庄宗仓皇向东逃跑，还没有看见叛贼，士卒就已经逃散了。庄宗和大臣面面相觑，不知该到哪里去，以至庄宗剪断头发，对天发誓，眼泪流下来打湿了衣裳时，那景况又是何等衰败啊！难道是得天下艰难而失天下容易吗？或者从成功与失败的事迹考察，都是由于人事的关系吗？

《尚书》中说："自满招来灾祸，谦虚得到益处。"忧患辛劳可以使国家兴盛，安逸舒适却会葬送自身，这是自然的道理。因此当他兴盛时，普天之下的英豪没有谁与他争锋；到他衰败的时候，几十个戏子就能把他困住，最后自身丧命，国家灭亡，被天下人耻笑。祸患常常是从细微的事情积累起来的，聪明勇敢的人常常被自己所溺爱的人蒙蔽，难道仅仅是溺爱伶人会有这种坏结果吗！因此，我写下了《伶官传》。

# 朋党论

**【题解】**

本文指出了君子的朋党与小人的朋党的本质区别。小人为个人的私利而朋比为奸，导致国家混乱衰亡；君子因道义相同而结成同盟，使国家兴旺发达。因此，作为最高统治者，应该大力扶持君子的朋党，消除小人的朋党。

**【原文】**

臣闻朋党之说，自古有之，惟幸人君辨其君子、小人而已。

大凡君子与君子以同道为朋，小人与小人以同利为朋，此自然之理也。然臣谓小人无朋，惟君子则有之，其故何哉？小人所好者禄利也，所贪者财货也，当其同利之时，暂相党引以为朋者，伪也；及其见利而争先，或利尽而交疏，则反相贼害，虽其兄弟亲戚不能相保。故臣谓小人无朋，其暂为朋者，伪也。君子则不然，所守者道义，所行者忠信，所惜者名节。以之修身，则同道而相益；以之事国，则同心而共济，始终如一。此君子之朋也。故为人君者，但当退小人之伪朋，用君子之真朋，则天下治矣。

尧之时，小人共工、驩兜等四人为一朋，君子八元、八恺十六人为一朋；舜佐尧退四凶小人之朋，而进元、恺君子之朋，尧之天下大治。及舜自为天子，而皋、夔、稷、契等二十二人并列于朝廷，更相称美、更相推让，凡二十二人为一朋，而舜皆用之，天下亦大治。《书》曰："纣有臣亿万，惟亿万心；周有臣三千，惟一心。"纣之时，亿万人各异心，可谓不为朋矣，然纣以亡国。周武王之臣三千人为一大朋，而周用以兴。后汉献帝时，尽取天下名士囚禁之，目为党人；及黄巾贼起，汉室大乱，后方悔悟，尽解党人而释之，然已无救矣。唐之晚年，渐起朋党之论；及昭宗时，尽杀朝之名士，或投之黄河，曰："此辈清流，可投浊流。"而唐遂亡矣。

夫前世之主，能使人人异心不为朋，莫如纣；能禁绝善人为朋，莫如汉献帝；能诛戮清流之朋，莫如唐昭宗之世，然皆乱亡其国。更相称美推让而不自疑，莫如舜之二十二臣，舜亦不疑而皆用之，然而后世不诮舜为二十二人朋

**党所欺，而称舜为聪明之圣者，以能辨君子与小人也。周武之世，举其国之臣三千人共为一朋，自古为朋之多且大莫如周，然周用此以兴者，善人虽多而不厌也。**

**嗟呼！夫兴亡治乱之迹，为人君者可以鉴矣。**

**【译文】**

我听说朋党的提法，自古以来就有了，只是希望皇上能辨别是君子的朋党还是小人的朋党罢了。

大体来说，君子与君子因道义上的一致而结为朋党，小人与小人因私利上的一致而结为朋党，这是自然而然的道理。但我认为小人没有朋党，只有君子才有朋党，这是为什么呢？小人所喜好的是利禄，所贪图的是钱财，当他们利益一致的时候，暂时互相勾结，结为朋党，但这是一种假象。当他们看见利益时，就争先恐后去争夺，当他们没有共同利益而疏远的时候，就反过来互相加害，即使是自己的兄弟和亲戚都无法幸免。所以我认为小人没有朋党，他们暂时结为朋党，只是一种假象。君子就不是这样，他们所恪守的是道义，所奉行的是忠诚和信用，所珍惜的是声誉和节操。用这些来修身养性，就会因为道义一致而互相促进；用这些来处理国家事务，就会因为想法相同而同舟共济，始终如一。这就是君子的真朋党。所以做君主的，只要能斥退小人的假朋党，进用君子的真朋党，那么天下就能治理好了。

尧的时候，小人共工、驩兜等四人勾结为朋党，君子八元、八恺等十六人结为朋党；舜辅佐尧摈退了四个凶恶的小人结成的朋党，而任用了八元、八恺等人结成的君子的朋党，尧的天下就治理得很好。到了舜自己治理天下的时候，皋、夔、稷、契等二十二人一并列位在朝廷上，他们互相赞美，互相谦让，这二十二人结为一支朋党，舜一齐加以任用，天下也被治理得很好。《尚书》说："商纣王拥有亿万大臣，只是他们每人都有不同的心；周武王有三千大臣，只是他们都怀着同一条心。"商纣王的时候，亿万人心思各不相同，可以说没有结为朋党，所以纣王因此亡国。周武王有三千大臣结为一支浩大的朋党，周武王任用他们而使国家兴盛。东汉献帝的时候，将天下的名士全都抓住关押起来，将他们视为结朋党的人；到黄巾起义时，东汉王朝大乱，后来后悔并醒悟过来，为全部党人平反并将他们释放，然而国家已经不可挽救了。唐朝后期，逐渐兴起了关于朋党的议论。到唐昭宗的时候，把朝廷中有名的人物全部杀光，有的被投进黄河，说："这班人自以为清高，可以投进黄河的浊流中。"唐朝就这样灭亡了。

前代的皇帝，能够使每个人心思不同而不结为朋党的，没人能比得上商纣王；能够禁止好人结为朋党的，没人能比得上汉献帝；能够杀戮高洁之士所结朋党的，没人赶得上唐昭宗时代，然而他们都因为动乱而亡国。互相赞美谦让而不猜忌的，没人比得上舜的二十二个大臣，舜也不加猜疑而全部任用他们，这样做了以后，后人并没有讥笑舜被这二十二人所结的朋党蒙蔽，却赞美舜是贤明的圣君，就因为他能辨别君子和小人。周武王的时代，全国总共三千个大臣结为一支朋党，从古到今结为朋党的人数之多、规模之大没有赶得上周朝的，但周朝因此而国家兴盛，这说明好人即使再多也不嫌多。

唉！前代治乱兴衰的事迹，当皇帝的可以用来作为借鉴。

# 卖油翁

**【题解】**

文章通过记叙卖油翁倒油的故事，阐明了熟能生巧的道理。将抽象的道理包容到生动具体的故事中，这是本文写法上的一大特色。

**【原文】**

陈康肃公尧咨善射，当世无双，公亦以此自矜。尝射于家圃，有卖油翁释担而立，睨之，久而不去。见其发矢十中八九，但微颔之。

康肃问曰："汝亦知射乎？吾射不亦精乎？"翁曰："无他，但手熟尔。"康肃忿然曰："尔安敢轻吾射！"翁曰："以我酌油知之。"乃取一葫芦置于地，以钱覆其口，徐以杓酌油沥之，自钱孔入，而钱不湿。因曰："我亦无他，惟手熟尔。"康肃笑而遣之。

**【译文】**

陈康肃公尧咨善于射箭，举世无双，他也以此自夸。他曾经在自家园子里射箭，有个卖油的人放下担子站着，斜眼看他，很久都不离开。卖油人看见陈尧咨射箭，十支中射中八九支，只是微微点头而已。

陈康肃问他说："你也懂得射箭吗？我的射技不是很精湛吗？"卖油人说："没别的，只是手熟罢了。"康肃公生气地说："你怎么敢小看我的射术！”卖油人说：“我凭倒油懂得这个道理。”于是拿来一个葫芦放在地上，用铜钱盖住葫芦口，慢慢地用勺子酌满油注入葫芦，油从钱孔滴入，但钱不沾湿。卖油人于是说：“我也没有别的，只是手熟练罢了。”康肃公笑着打发他走了。

## 三　上

**【题解】**

本文通过记叙古人充分利用时间治学的几则轶事，表现了古人惜时如金的优良作风。

**【原文】**

钱思公虽生长富贵，而少所嗜好，在西洛时，尝语僚属言：“平生唯好读书，坐则读经史，卧则读小说，上厕则阅小辞，盖未尝顷刻释卷也。”谢希深亦言：“宋公垂同在史院，每走厕必挟书以往，讽诵之声琅然闻于远近，其笃学如此。”余因谓希深曰：“余平生所作文章，多在三上，乃马上、枕上、厕上也。”盖惟此尤可以属思耳。

**【译文】**

钱思公虽然生长在富贵人家，但没有什么不良嗜好。他在洛阳的时候，曾经对僚属说：“我平生只爱读书，坐着的时候就读经史，躺下时就读小说，上厕所时就读小辞，没有一刻放下过书本。”谢希深也说：“宋公垂同在史院时，每次上厕所时必定挟着书进去，背诵文章的声音清脆，远近都听得见，他就是这样专心好学。”我于是对谢希深说：“我平生所写的文章，大多是在‘三上’时写的，就是马上、枕上、厕上。”大概只有这样才能够集中注意力思考吧。

## 养鱼记

**【题解】**

本文通过描写小鱼在池中游戏自若，而大鱼无处容身，枯死池旁一事，隐射封建社会小人得志，贤人遭殃的丑恶现象。这篇小品文词优美，寓意深刻。

**【原文】**

折檐之前有隙地，方四五丈，直对非非堂。修竹环绕荫映，未尝植物。因洿以为池，不方不圆，任其地形；不甃不筑，全其自然。纵锸以浚之，汲井以盈之。湛乎汪洋，晶乎清明。微风而波，无波而平。若星若月，精彩下入。予偃息其上，潜行于毫芒；循漪沿岸，渺然有江湖千里之想。斯足以舒忧隘而娱穷独也。

乃求渔者之罟，市数十鱼，童子养之乎其中。童子以为斗斛之水，不能广其容，盖活其小者而弃其大者。怪而问之，且以是对。嗟呼，其童子无乃嚚昏而无识矣乎？予观巨鱼枯涸在旁，不得其所；而群小鱼游戏浅狭之间，有若自足焉。感之而作《养鱼记》。

【译文】

屋檐下的回廊前有一块空地，方圆四五丈，面对着非非堂。四周修竹环绕掩映，没有种植作物。于是把它挖掘成一个池子，不方不圆，就着它的地形；不砌不筑，保全它的自然风貌。用铁锹疏浚水道，汲井水注满池子。汪洋一片，亮晶晶的，清澈透明。微风吹过，细浪翻起，无波时则一平如镜。或者是星星，或者是月亮，倒映入池，光彩明朗。我在上面休息，万物细微的影子都收入池水中；绕着池水的波纹，沿岸散步，悠悠地，有置身浩荡千里的江湖之上的想象。这就足以舒展郁结的胸怀，使孤寂的心情感到快乐。

我于是找来渔人用的渔网，买来几十条鱼，让书童把鱼养在里面。书童认为这一点点水，不能扩大池子的容量，就养活了那些小的，扔掉了那些大的。我觉得奇怪，就问他这么做的原因，书童这样回答我。唉，这个小孩子不是愚昧无知么？我看见大鱼干死在旁边，找不到它的处所；那些小鱼在又浅又狭的地方游戏，好像很满足的样子。我对这件事很有感慨，就写下了这篇《养鱼记》。

## 猢狲入布袋

【题解】

本文通过写梅尧臣即将步入仕途时与妻子的对话，表现了梅氏不愿为官所累的洒脱性格。文章语言生动，诙谐幽默，富有情趣。

【原文】

梅圣俞以诗知名，三十年终不得一馆职。晚年与修《唐书》，书成未奏而卒，士大夫莫不叹惜。其初受敕修《唐书》，语其妻刁氏曰："吾之修书，可谓猢狲入布袋矣。"刁氏对曰："君于仕宦，亦何异鲇鱼上竹竿耶！"闻者皆以为善对。

【译文】

梅尧臣因为写诗著名，但出道三十年却始终没有得到一个馆职。晚年参与编修《唐书》，书写成尚未进献给朝廷就去世了，士大夫没有谁不为此叹息。他刚受诏编写《唐书》时，对他妻子刁氏说："我去编书，可以说是猢狲钻进了布袋中。"刁氏回答说："您去做官，跟鲇鱼受诱饵上钩有什么不同呢！"听说了这件事的人都认为梅妻善于应对。

# 苏 洵

苏洵(1009－1066),字明允,号老泉,眉州眉山(今四川眉山)人。年二十七才发愤读书。宋仁宗嘉祐元年(1056),年近半百的苏洵与二子苏轼、苏辙携文拜见欧阳修。欧阳修观其文后,非常赞赏,于是向宋仁宗举荐苏洵。苏洵从此步入仕途,历任秘书省校书郎、霸州文安县主簿等职。

苏洵的散文,风格独卓:其议论善于雄辩,气势宏大,针砭时弊;其叙事抒情,徐纡婉转。有《嘉祐集》。

## 六 国 论

**【题解】**

本文深入论证六国灭亡的原因:弊在赂秦。作者总结历史经验教训,告诫世人:和平不是向敌人卑躬屈膝乞讨得来的。

**【原文】**

六国破灭,非兵不利,战不善,弊在赂秦。赂秦而力亏,破灭之道也。或曰:"六国互丧,率赂秦耶?"曰:"不赂者以赂者丧。盖失强援,不能独完。故曰弊在赂秦也。"

秦以攻取之外，小则获邑，大则得城。较秦之所得与战胜而得者，其实百倍；诸侯之所亡与战败而亡者，其实亦百倍。则秦之所大欲，诸侯之所大患，固不在战矣。思厥先祖父，暴霜露，斩荆棘，以有尺寸之地。子孙视之不甚惜，举以予人，如弃草芥。今日割五城，明日割十城，然后得一夕安寝。起视四境，而秦兵又至矣。然则诸侯之地有限，暴秦之欲无厌，奉之弥繁，侵之愈急。故不战而强弱胜负已判矣。至于颠覆，理固宜然。古人云："以地事秦，犹抱薪救火，薪不尽，火不灭。"此言得之。

齐人未尝赂秦，终继五国迁灭，何哉？与嬴而不助五国也。五国既丧，齐亦不免矣。燕、赵之君，始有远略，能守其土，义不赂秦。是故燕虽小国而后亡，斯用兵之效也。至丹以荆卿为计，始速祸焉。赵尝五战于秦，二败而三胜，后秦击赵者再，李牧连却之。洎牧以谗诛，邯郸为郡，惜其用武而不终也。且燕、赵处秦革灭殆尽之际，可谓智力孤危，战败而亡，诚不得已。向使三国各爱其地，齐人勿附于秦，刺客不行，良将犹在，则胜负之数，存亡之理，当与秦相较，或未易量。

呜呼！以赂秦之地封天下之谋臣，以事秦之心礼天下之奇才，并力西向，则吾恐秦人食之不得下咽也。悲夫！有如此之势，而为秦人

**积威之所劫，日削月割，以趋于亡。为国者无使为积威之所劫哉！夫六国与秦皆诸侯，其势弱于秦，而犹有可以不赂而胜之之势。苟以天下之大，下而从六国破亡之故事，是又在六国下矣。**

**【译文】**

战国时六国的灭亡，不是因为武器不锋利，仗打得不好，弊病在于贿赂秦国。贿赂秦国使本国的力量减弱了，这就是六国灭亡的原因。有人问："六国相继灭亡，全都是因为贿赂秦国吗？"回答说："不贿赂秦国的国家因为有贿赂秦国的国家而灭亡。因为不贿赂秦国的国家失去了强有力的外援，不能单独保全。所以说弊病在于贿赂秦国。"

秦国除通过战争夺取别国的土地外，还接受诸侯的贿赂，小的获得邑镇，大的获得城市。比较秦国接受贿赂得到的土地与作战胜利得到的土地，那实际上要大到百倍。六国因贿赂秦国失去的土地与战败而失去的土地，实际上也要多到百倍。那么，秦国最大的欲望，诸侯最大的祸患，当然就不在战争了。想一想他们的祖先，冒着霜露，披荆斩棘，才有了一点点土地。子孙后代看待它却不大爱惜，拿它给了别人，像丢弃草芥一样。今天割让五城，明天割让十城，然后才能睡一夜安稳觉。第二天起来向四周一看，秦兵又来了。然而诸侯的土地是有限的，残暴的秦国的欲望是贪得无厌的，送给它的越多，它的侵略就越厉害。因此不用打仗，强弱胜败就很清楚了。至于亡国，那是理所当然的。古人说："用土地侍奉秦国，就如同抱着柴去救火，柴不烧完，火就不会灭。"这话说对了。

齐国人不曾贿赂秦国，最终也随着五国灭亡，为什么呢？结交秦国而不帮助其他五国。五国被灭亡以后，齐国也免不了亡国。燕、赵的国君，起初有长远的谋略，能够守住他们的国土，坚持大义而不贿赂秦国。因此燕国虽是小国却最后灭亡，这是用兵抗秦的结果。到了燕太子丹用荆轲刺秦王作为对付秦国的办法，才招致祸患。赵国曾经五次跟秦国作战，二败三胜。后来秦国两次攻打赵国，李牧接连打败秦军。等到李牧因为遭到谗言而被杀，邯郸就成了秦国的一个郡，可惜它用武抗秦却不能坚持到底。况且燕国和赵国处在秦国把其他国家消灭得差不多了的时候，可以说智谋和力量都已孤危了，战败后被灭亡，实在是没有办法。假使韩、魏、楚三国都爱惜它们的土地，齐国不依附秦国，燕国不派刺客，赵国的良将还在的话，那么，胜负的命运，存亡的道理，如果与秦国相比较，或许还不容易说清楚呢。

唉！假如六国用贿赂秦国的土地封给天下的谋臣，用侍奉秦国的心来礼遇天下的奇才，合力向西抵抗秦国，那么，我恐怕秦国人连吃饭都咽不下去。可悲呀！有这样好的形势，却被秦国长期形成的威势所胁迫，日削月割，从而渐渐走向灭亡。治理国家的人可不要使自己为别人长期形成的威势所胁迫啊！六国与秦国都是诸侯国，六国的势力虽然比秦国弱，但还有可以不去贿赂秦国而能战胜敌人的力量。如果凭着天下一统的大国，却重蹈六国灭亡的老路，这就又在六国之下了。

# 广　士

**【题解】**

本文以翔实的事例，论证了作者不拘一格选拔人才的政治主张，并痛切指斥了当时长吏轻侮下属的官场恶习。

**【原文】**

古之取士，取于盗贼，取于夷狄。古之人非以盗贼、夷狄之事可为也，以贤之所在而已矣。夫贤之所在，贵而贵取焉，贱而贱取焉。是以盗贼下人，夷狄异类，虽奴隶之所耻，而往往登之朝廷，坐之郡国，而不以为怍；而绳趋尺步、华言华服者，往往反摈弃不用。何则？天下之能绳趋而尺步、华言而华服者众也，朝廷之政、郡国之事非特如此而可治也。彼虽不能绳趋而尺步、华言而华服，然而其才果可用于此，则居此位可也。古者，天下之国大而多士大夫者，不过曰齐与秦也。而管夷吾相齐，贤也，而举二盗焉；穆公霸秦，贤也，而举由余焉。是其能果于是非而不牵于众人之议也，未闻有以用盗贼、夷狄而鄙之者也。今有人非盗贼，非夷狄，而犹不获用，吾不知其何故也。

夫古之用人，无择于势。布衣寒士而贤，则用之；公卿之子弟而贤，则用之；武夫健卒而贤，则用之；巫医方技而贤，则用之；胥史贱吏而贤，则用之。今也，布衣寒士持方尺之纸，书声病剽窃之文，而至享万钟之禄；卿大夫之子弟饱食于家，一出而驱高车，驾大马，以为民上；武夫健卒有洒扫之力、奔走之旧，久乃领藩郡，执兵柄；巫医方技一言之中，大臣且举以为吏。若此者，皆非贤也，皆非功也。是今之所以进

之之途多于古也。而胥史贱吏忽之而不录，使老死于敲搒趋走，而贤与功者不获一施。吾甚惑也。不知胥吏之贤，优而养之，则儒生武士或所不若。

昔者，汉有天下，平津侯、乐安侯辈皆号为儒宗，而卒不能为汉立不世大功，而其卓绝隽伟、震耀四海者，乃其贤人之出于吏胥中者耳。夫赵广汉，河间之郡吏也；尹翁归，河东之狱吏也；张敞，太守之卒史也；王尊，涿郡之书佐也。是皆雄隽明博，出之可以为将，而内之可以为相者也。而皆出于吏胥中者，有以也。夫吏胥之人，少而习法律，长而习狱讼，老奸大豪畏惮慑伏，吏之情状、变化、出入，无不谙究。因而官之，则豪民猾吏之弊，表里毫末毕见于外，无所逃遁。而又上之人，择之以才，遇之以礼，而其志复自知得自奋于公卿，故终不肯自弃于恶，以贾罪戾而败其终身之利。故当此时，士君子皆优为之。而其间自纵于大恶者，大约亦不过几人；而其尤贤者，乃至成功如是。

今之吏胥则不然。始而入之不择也，终而遇之以犬彘也。长吏一怒，不问罪否，袒而笞之；喜而接之，乃反与交手为市。其人常曰："长吏待我以犬彘，我何望而不为犬彘哉？"是以平民不能自弃为犬彘之行，不肯为吏矣。况士君子而肯俯首为之乎？然欲使之谨饬可用如两汉，亦不过择之以才，待之以礼，恕其小过，而弃绝其大恶之不可贳忍者，而后察其贤有功，而爵之、禄之、贵之，勿弃之于冗流之间，则彼有冀于功名，自尊其身，不敢匄夺，而奇才绝智出矣。夫人固有才智奇绝而不能为章句、名数、声律之学者，又有不幸而不为者。苟一之以进士制策，是使奇才绝智有时而穷也。使吏胥之人得出为长吏，是使一介之才无所逃也。进士制策网之于上，此又网之于下，而曰天下有遗才者，吾不信也。

**【译文】**

古代任用人才，会从盗贼中选拔，也会从夷狄中选拔。古代的人认为盗贼、夷狄的事是不可以做的，但是因为有贤德存在，所以也不拘一格。贤德的人地位尊贵，选拔他；贤德的人地位卑贱，也选拔他。因此盗贼这样的下等之人，夷狄这样的异族之人，即使是奴隶之类可耻的人，往往也会把他们选拔到朝廷，任命他们为郡国的官吏，而不感到有什么惭愧；那些行为举止都合法度、能说会道、服饰华丽的人，往往反而摈弃不用。为什么呢？天下举止行为合乎法度、能说会道、服饰华丽的人很多，国家的大政、郡国的事务不仅仅是这样就可治理好的。那些盗贼、夷狄虽不能循规蹈矩，不能说会道，也没有华丽的服饰，然而他们的才能果真是可以胜任这些事务的，那么他们担任这样的职位也是可以的。古代，国家大而士大夫多的，不过是齐国和秦国罢了。管仲担任齐国的相国是很贤德的，他举荐了两个盗贼；秦穆公使秦国称霸，他也是很贤德的，他举荐了由余。这是他们在是非面前敢于决断而不被别人的议论所左右，没有听说因为他们任用了盗贼、夷狄而鄙视他们的。现在有人不是盗贼也不是夷狄，但还是得不到任用，我不知道这是什么原因。

古代任用人才，不会根据势力、门第去选择。布衣寒士如果贤明，就会任用他们；公卿大臣的子弟如果贤明，就会任用他们；武夫健卒如果贤明，就会任用他们；巫医方士如果贤明，就会任用他们；地位卑下的官吏如果贤明，也会任用他们。现在，布衣寒士拿着几尺见方的纸片，写一些无病呻吟和剽窃的文章，就可享受万钟俸禄；公卿士大夫的子弟在家里饱食终日，一出门就驾着高车，骑着大马，去作为民众的长官；武夫健卒有为达官贵人洒扫的力气、奔走效劳的旧情，干久了就可以担任州郡的长官，执掌州郡的兵权；巫医方士只要有一句话说得合乎长官的心意，大臣就推举他做官。像这种情况，都不是因为贤明，也不是因为功劳。这是因为现在加官晋级的途径比古代多。对那些地位卑贱的小吏忽视而不加录用，使他们老死在鞭打罪犯、上传下达的小事上，他们的贤能和功用得不到施展。我非常不解。殊不知卑贱小吏的贤明，用优厚的待遇供养他们，就是儒生、武士也有比不上他们的。

过去，西汉统一了天下，平津侯公孙弘、乐安侯匡衡等人都号称是儒家的大师,但终究不能为汉朝立下永垂史册的大功,那些卓越出色、才艺超群、威震天下、名扬四海的人,不过是出身于文书小吏中的贤才罢了。赵广汉,是河间的郡吏;尹翁归,是河东的狱卒;张敞,是太守的卒史;王尊,是涿郡的文书小吏。这都是些才能超群、聪明博学的人,出外可以担任将帅,进入朝廷可以担任宰相。但是他们都出身于文书小吏中,这是有原因的。这些文书小吏年轻的时候熟悉法令刑律,年长的时候就熟悉诉讼审讯,老奸巨猾、仗势欺人的大户都畏惧、服从他们。做官的情形状况、变化出入,他们无不谙熟。因此让他们做官,那么豪门大户、狡猾的官吏的弊端以及里里外外大大小小的弊病都暴露在他们眼前,没有什么能够逃过他们的眼睛。位居他们之上的人,按照才能择取他们,用厚礼优待他们,那么他们的内心又会明白只有通过勤奋努力,才能升为公卿大臣,所以始终不会作恶、自暴自弃以致招来祸害,损害了他们的终身利益。因此在这个时候做官的都争取表现、处理好政务。他们中间放纵作恶的,大约也不过几个人。而那些特别贤明的人,就会成就很大的功业。

现在的文书小吏却不是这样。开始选用他们时,不加以选择,到头来对待他们就像对待猪狗一样。官大的一发怒,也不问他们有没有罪,就让他们脱下衣服鞭笞他们;高兴时就亲近他们,与他们交好,做一些买卖的勾当。这些人常说:"长官对待我好像对待猪狗,我何不就成为猪狗呢?"所以平民百姓自暴自弃,甘心做猪狗,也就不肯出来做官。但是真正的士人君子,肯低头做猪狗么?然而想使他们做到谨慎严肃,如同两汉时的人物那样任用,也不过是按照才能选用他们,用厚礼优待他们,宽恕他们的小过失,抛弃他们中作恶多端不可饶恕的人,而后考察他们的贤能与功劳,然后才给他们封爵、增加俸禄,让他们显贵起来,不要把他们遗弃在闲官冗员的行列中。那么他们就会寄希望于功名利禄，自我尊重，不敢巧取豪夺，他们奇异的才能、超常的智慧就可以施展出来。人本来就有杰出的才能、超常的智力，可是不会做文章、名数、声律等学问，还有些人不幸没有学过这些东西。如果仅用进士制策的考试来选用他们，这将使有杰出才能的人很快陷入困境。要是文书小吏也能选拔出来做长官，这就使稍有才能的人不会被埋没。用科举进士的制度从上层官吏中网罗人才，又用唯才是举的办法从下层官吏中网罗人才，却还说天下有遗弃的人才，我是不相信的。

## 管仲论

**【题解】**

本文以新颖独到的见解，对管仲进行客观公允的评价，认为他相齐时，内立法度，提出“尊王攘夷”的口号，相助齐桓公成就霸业，的确是春秋时期一位著名的政治家。但本文真正的落脚点，却是批评管仲临死不能荐贤自代，导致齐国小人当政，国家混乱衰亡，从而肯定了贤人对于国家兴盛的重要性。

**【原文】**

**管仲相威公，霸诸侯，攘夷狄。终其身，齐国富强，诸侯不敢叛。管仲死，竖刁、易牙、开方用，威公薨于乱，五公子争立，其祸蔓延，讫简公，齐无宁岁。夫功之成，非成于成之日，盖必有所由起；祸之作，不作于作之日，亦必有所由兆。则齐之治也，吾不曰管仲，而曰鲍叔；及**

其乱也，吾不曰竖刁、易牙、开方，而曰管仲。何则？竖刁、易牙、开方三子，彼固乱人国者，顾其用之者，威公也。夫有舜而后知放四凶，有仲尼而后知去少正卯。彼威公何人也？顾其使威公得用三子者，管仲也。

仲之疾也，公问之相。当是时也，吾意以仲且举天下之贤者以对。而其言乃不过曰“竖刁、易牙、开方三子，非人情，不可近”而已。呜呼，仲以为威公果能不用三子矣乎？仲与威公处几年矣，亦知威公之为人矣乎！威公声不绝于耳，色不绝于目，而非三子者，则无以遂其欲。彼其初之所以不用者，徒以有仲焉耳；一日无仲，则三子者，可以弹冠相庆矣。仲以为将死之言，可以絷威公之手足耶？夫齐国不患有三子，而患无仲；有仲，则三子者，三匹夫耳；不然，天下岂少三子之徒哉？虽威公幸而听仲，诛此三人，而其余者，仲能悉数而去之耶？呜呼，仲可谓不知本者矣！因威公之问，举天下之贤者以自代，则仲虽死，而齐国未为无仲也。夫何患三子者？不言可也。

五霸莫盛于威、文，文公之才，不过威公，其臣又皆不及仲；灵公之虐，不如孝公之宽厚。文公死，诸侯不敢叛晋。晋袭文公之余威，犹得为诸侯之盟主者百有余年。何者？其君虽不肖，而尚有老成人焉。威公之薨也，一乱涂地，无惑也。彼独恃一管仲，而仲则死矣。夫天下未尝无贤者，盖有臣而无君者矣。威公在焉，而曰天下不复有管仲者，吾不信也。

仲之书，有记其将死论鲍叔、宾胥无之为人，且各疏其短，是其心以为是数子者，皆不足以托国，而又逆知其将死，则其书诞谩，不足信也。吾观史鳝以不能进蘧伯玉而退弥子瑕，故有身后之谏；萧何且死，举曹参以自代。大臣之用心，固宜如此也。夫国以一人兴，以一人亡，贤者不悲其身之死，而忧其国之衰，故必复有贤者，而后可以死。彼管仲者，何以死哉？

【译文】

管仲辅佐齐桓公称霸诸侯，抗击外敌的进攻。一直到他去世，齐国国富民强，诸侯都不敢背叛。管仲死后，竖刁、易牙、开方得到重用。齐桓公在内乱中死去，五个公子争夺王位。这些祸乱一直蔓延到齐简公的时候，齐国没有一个安宁的年份。事业的成功，并不是在成功的时候，就一定有它成功的原因；灾祸的产生，并不是产生在灾祸发生的日子，也一定有它发生的兆头。那么齐国的太平强盛，我不说是由管仲造成的，而说是鲍叔牙带来的；等到齐国发生祸乱的时候，我不说是由竖刁、易牙、开方这三个人造成的，而说是管仲引起的。为什么这样说呢？竖刁、易牙、开方三个人，他们本来是扰乱国家的人，但是起用他们的人，是齐桓公！有了舜，然后才知道要流放四大恶人。有了仲尼，然后才知道要除去少正卯。那齐桓公到底是什么样的人呢？而使齐桓公任用三人的人，却是管仲啊！

管仲病重的时候，齐桓公问他谁可以担任相国的职务。那个时候，我以为管仲将会推举天下贤人来作为回答。可是他的话不过是说“竖刁、易牙、开方三个人，违背人情，不可亲近”而已。唉！管仲以为齐桓公真的不会起用这三个人么？管仲与齐桓公相处了几年，也应该了解齐桓公的为人啊！齐桓公的耳朵离不开音乐，眼睛离不开女色，没有这三个人侍奉，就无法满足他的欲望。当初他之所以没有起用他们，只是因为管仲还在。一旦没了管仲，那么这三个人就可以弹冠相庆了。管仲以为他临死的话语就可以捆住齐桓公的手脚么？齐国不担心没有这三个人，而担心没有管仲。有了管仲，那么这三个人不过是三个匹夫。不然，难道天下会缺少像这三个人一样的人么？即使齐桓公有幸听从管仲的话，诛杀这三个人，可是余下的像他们这样的人，管仲能够把他们全部除去么？唉！管仲可以说是不知道抓住问题的根本的人！如果趁着齐桓公的询问，荐举天下的贤人来代替自己，那么即使管仲死了，齐国未必缺少像管仲一样的人。那时何必担心这三个人呢？这个道理不说出来，人们也能明白。

春秋五霸没有哪个超过齐桓公、晋文公，晋文公的才能比不过齐桓公，他的大臣也比不过管仲。晋灵公暴虐残酷，不如齐孝公宽厚。晋文公死后，诸侯都不敢背叛晋国。晋国承袭晋文公的余威仍然能够当诸侯的盟主，这种情形长达一百多年。为什么呢？晋国的国君虽然不贤明，但还有老成持重的大臣在。齐桓公死后，齐国乱到不可收拾，这是没什么疑问的。齐国单只依靠一个管仲，而管仲已经死了。天下不是没有贤明的人，恐怕只是有有才能的大臣，而没有贤明的国君吧？齐桓公在世的时候，说天下不再有像管仲那样的贤人，我是不信的。

管仲所写的书里，有记载他临死时议论鲍叔牙、宾胥无的为人，并且说出他们各自的短处。这就是说他心里认为这几个人都不能托付以国家重任，可是又预料到自己将要死了。那么他的书是荒诞不经的，是不能令人信服的。我看到史鳍因为不能进用蘧伯玉、斥退弥子瑕，所以有死后的尸谏；萧何将死的时候，荐举曹参代替自己。大臣们的用心，本来就应该这样。国家常常因重用某一个人而兴盛起来，也因重用某一个人而衰亡。贤明的人不会悲叹自己的死，而会担心国家的衰亡。因此，一定要找到贤明的人接替他，他才可以瞑目。那个管仲为什么不这样做了以后才死呢？

## 辨奸论

【题解】

一叶知秋，见微知著，就某些自然现象和社会现象而言，确有一定的道理。但本文仅从一个人的衣着、生活习惯的不近人情，就断定某人必为大奸大恶，则显得牵强武断，让人不敢苟同。

【原文】

事有必至，理有固然。惟天下之静者，乃能见微而知著。月晕而风，础润而雨，人人知之。人事之推移，理势之相因，其疏阔而难知，变化而不可测者，孰与天地阴阳之事，而贤者有不知。其故何也？好恶乱其中，而利害夺其外也！

昔者，山巨源见王衍，曰："误天下苍生者，必此人也！”郭汾阳见卢杞，曰：“此人得志，吾子孙无遗类矣！”自今而言之，其理固有可见者。以吾观之，王衍之为人，容貌言语，固有以欺世而盗名者。然不忮不求，与物浮沉。使晋无惠帝，仅得中主，虽衍百千，何从而乱天下乎？卢杞之奸，固足以败国。然而不学无文，容貌不足以动人，言语不足以眩世，非德宗之鄙暗，亦何从而用之？由是言之，二公之料二子，亦容有未必然也！

今有人，口诵孔、老之言，身履夷、齐之行，收召好名之士、不得志之人，相与造作言语，私立名字，以为颜渊、孟轲复出，而阴贼险狠，与人异趣。是王衍、卢杞合而为一人也，其祸岂可胜言哉？夫面垢不忘洗，衣垢不忘浣，此人之至情也。今也不然，衣臣虏之衣，食犬彘之食，囚首丧面，而谈诗书，此岂其情也哉？凡事之不近人情者，鲜不为大奸慝，竖刁、易牙、开

**方是也。以盖世之名，而济其未形之患。虽有愿治之主，好贤之相，犹将举而用之。则其为天下患，必然而无疑者，非特二子之比也。**

**孙子曰："善用兵者，无赫赫之功。"使斯人而不用也，则吾言为过，而斯人有不遇之叹，孰知祸之至于此哉？不然，天下将被其祸，而吾获知言之名，悲夫！**

**【译文】**

事物的发展有必然如此的原因，情理有原本如此的根源。只有天下最冷静的人，才能从细微的变化中预知发展的结果。月亮周围起晕，将要刮风；屋柱底下的石礅返潮，将要下雨，这是人人皆知的事情。人事的发展变化，道理情势的因果关系，其空疏阔远、变化莫测的程度，怎能与天地阴阳之事相比，即使贤能的人也有不知道的。那是什么原因呢？爱憎扰乱了他们的思想，利害影响了他们的行为啊！

从前，山巨源见到王衍，就说："将来祸害天下百姓的，一定是这个人。"郭子仪见到卢杞，就说："这个人如果得志，我的子孙就会被他杀得一个不留。"今天分析起来，那道理确实是可以预见到的。依我看来，王衍的为人，容貌漂亮，能说会道，确实有可以欺世盗名的本钱。然而，他不嫉妒，不妄求，只是随波逐流，假使晋朝没有惠帝那样的白痴皇帝，哪怕仅是一个中等的君主，虽有千百个王衍，又怎么能把天下搞乱呢？卢杞的奸险，固然足以败坏国家，但是他不学无术，容貌不足以动人，言谈不足以欺世，如果不是遇到鄙陋昏庸的唐德宗，又怎会得到重用呢？由此看来，山、郭二公对王、卢二人的预言，也可能未必有那样的结果啊！

现在有个人,口中背诵着孔子、老子的词句,亲身实践着伯夷、叔齐的行为,招纳一些沽名钓誉、不得志的士人,共同制造舆论,自我标榜,把自己说成是颜渊再世、孟轲复生,实际上却像贼一样阴险狠毒,与一般人的旨趣不同。这相当于是王衍、卢杞合成一个人了,他将来造成的祸害怎么可用言语细说呢?面孔脏了不忘擦拭,衣服脏了不忘洗,这是人之常情。现在这个人却不是这样,穿着奴仆的衣服,吃着猪狗的食物,头发蓬乱像囚犯一样,满面灰尘像居丧的人一般,却大谈《诗经》、《尚书》等经典文章,这难道是人的真实情感吗?凡是做事不近人情的人,很少不成为大奸大恶的,竖刁、易牙、开方就是这种人。用盖世的好名声,来促成他尚未形成的祸患。虽然有想把国家治好的君主,爱好贤才的宰相,还是会举荐他,信用他的。那么他成为天下的祸患,将是必然而没有疑问的,这就不只是王、卢二人所能比拟的了。

孙子说:"善于用兵的人,并无显赫的战功。"假使这人不被重用,那么我的话就是过分忧虑了,而这个人会有怀才不遇的感叹,谁能知道祸患将会达到上述严重地步呢?假使不是这样的,天下将要受到他的祸害,而我却获得远见卓识的美名,那就太可悲了。

# 木假山记

**【题解】**

本文记叙了木假山形成的过程以及它可能经历的重重厄运,曲折地抒发了人才难成与人才难得的感叹,隐含着对封建社会压抑和摧残人才的愤懑。

**【原文】**

木之生，或蘖而殇，或拱而夭。幸而至于任为栋梁，则伐；不幸而为风之所拔，水之所漂，或破折，或腐。幸而得不破折不腐，则为人之所材，而有斧斤之患。其最幸者，漂沉汩没于湍沙之间，不知其几百年。而其激射啮食之余，或仿佛于山者，则为好事者取去，强之以为山，然后可以脱泥沙而远斧斤。而荒江之渍，如此者几何！不为好事者所见，而为樵夫野人所薪者，何可胜数？则其最幸者之中，又有不幸者焉。

予家有三峰，予每思之，则疑其有数存乎其间。且其蘖而不殇，拱而不夭，任为栋梁而不伐，风拔水漂而不破折不腐。不破折不腐，而不为人所材，以及于斧斤。出于湍沙之间，而不为樵夫野人之所薪，而后得至乎此，则其理似不偶然也。

然予之爱之，则非徒爱其似山，而又有所感焉；非徒爱之，而又有所敬焉。予见中峰魁岸踞肆，意气端重，若有以服其旁之二峰。二峰者，庄栗刻峭，凛乎不可犯。虽其势服于中峰，而岌然决无阿附意。吁！其可敬也夫！其可以有所感也夫！

**【译文】**

树木生长时，有的刚刚抽出嫩芽就死了，有的长到双手合抱那样粗却被摧折了。侥幸地长到可用做房梁了就要被砍伐，不幸被大风拔起，被水流漂走，有的折断了，有的腐烂了。侥幸能够不被折断、不腐烂的，就被人们当做材料使用，有遭斧子砍的危险。其中最幸运的，漂浮在水里，埋没在沙石里，不知要经过几百年，经过了水流的冲击、沙石的侵蚀之后，有的像山的形状，就被喜欢多事的人取去，加工做成木假山，然后这树木才能脱离泥沙而且避免斧砍刀削的灾难了。但是，在荒野的江边，像这样形状似山峰的树木有多少啊！不被好事者发现，却被樵夫农民砍去当柴烧的，怎么数得清？那么，在那些最侥幸的树木中，又有不幸的了。

我家有三座木假山。我常常想，怀疑有命运之类的东西在暗中支配。它抽出嫩芽却没有死去，长到合抱那样粗却没有被摧残，长到可做房梁却没有被砍伐，风没有吹折它，水流没有腐蚀它。没有折断腐烂，却没有被人们当做材料使用，没有遭到斧子的伤害。出于水流泥沙之中，却没有被山民砍去当柴烧，然后才能成为木假山。那么，其中的道理似乎不是偶然的。

然而我之所以喜爱木假山，却不是只爱它们形状像山，是有别的感想。不只是喜爱它们，而且有点敬重它们。我见中峰，伟岸耸立，气概庄重，好像要压倒旁边的其他两峰。那两座山峰，庄重险拔，凛然不可侵犯，虽然它们的势态被中峰所压倒，但高高耸立绝没有阿附奉迎的样子。啊！真是可敬呀！对它们真是别有一番感想呀！

# 曾　巩

曾巩(1019－1083),字子固,建昌军南丰(今江西南丰县)人,后居临川。宋仁宗嘉祐二年(1057)进士,历任太平州司法参军,知齐、洪、福、明、亳等州。元丰四年(1081),以史学才能被委任史馆修撰,判太常寺。

曾巩积极参与欧阳修等人倡导的诗文革新运动,他在文中,决心"明圣人之心于百世之上,明圣人之心于百世之下",大力弘扬儒道,以匡救时弊。有《元丰类稿》传世。

## 墨池记

**【题解】**

本文以王羲之临池学书,墨染池水为例,说明了人要有一技之长,不能依仗天赋,必须苦练长修这一道理。

**【原文】**

临川之城东,有地隐然而高,以临于溪,曰新城。新城之上,有池洼然而方以长,曰王羲之之墨池者。荀伯子《临川记》云也。羲之尝慕张芝,临池学书,池水尽黑,此为其故迹,岂信然邪?

方羲之之不可强以仕，而尝极东方，出沧海，以娱其意于山水之间，岂有徜徉肆恣，而又尝自休于此邪？羲之之书晚乃善，则其所能，盖亦以精力自致者，非天成也。然后世未有能及者，岂其学不如彼邪？则学固岂可以少哉！况欲深造道德者邪？

墨池之上，今为州学舍。教授王君盛恐其不章也，书“晋王右军墨池”之六字于楹间以揭之，又告于巩曰：“愿有记。”推王君之心，岂爱人之善，虽一能不以废，而因以及乎其迹邪？其亦欲推其事以勉其学者邪？夫人之有一能，而使后人尚之如此，况仁人庄士之遗风余思，被于来世者如何哉！

庆历八年九月十二日，曾巩记。

**【译文】**

临川城的东边，有块突起的高地，面临着溪水，名叫新城。新城上面，有个低凹的长方形水池，被称为王羲之的墨池。荀伯子的《临川记》有记载。王羲之曾经仰慕张芝，靠近水池子学习书法，洗笔时把池水都染黑了，这就是他旧日的遗迹，难道是真的吗？

当王羲之不愿勉强做官的时候，曾经遍游东方，驾船出海，在山水之间怡然自得。难道是他在纵情游览时，曾在这里停留过？王羲之的书法晚年才炉火纯青，那么，他的能耐，是依靠刻苦努力才得来的，不是天生的。然而后世没有人能比得上他的，或许是学习的功夫比不上他吧？那么，学习的功夫怎么能够少花呢！何况是那些想在道德方面达到很高造诣的人？

墨池上面，现在是州学校舍。州学教授王盛担心墨池的来历不为人所知，在厅堂的柱子上写了“晋王右军墨池”六字来标明它。他又告诉我说：“希望你写个记。”我猜测王君的心，莫非是爱惜前人的长处，即使是一技之长也不愿让它埋没，因此连他的遗迹也加以珍惜吗？或者是想推广王羲之的事迹，以便勉励这里的学生吗？人有一技之长，而使后人如此尊敬他，更何况仁人君子遗留下来的好传统呢，将对后世产生多大的影响！

庆历八年九月十二日，曾巩记。

## 醒心亭记

**【题解】**

本文写欧阳修等人登亭游山的乐趣，热情地赞扬了欧阳修忧国忧民以普天下之乐为乐，而不愿一己独乐的宽阔胸怀。

**【原文】**

**滁州之西南，泉水之涯，欧阳公作州之二年，构亭曰“丰乐”，自为记，以见其名之意。既，又直丰乐之东几百步，得山之高，构亭曰“醒心”，使巩记之。**

**凡公与州之宾客者游焉，则必即丰乐以饮。或醉且劳矣，则必即醒心而望，以见夫群山之相环，云烟之相滋，旷野之无穷，草树众而泉石**

嘉，使目新乎其所睹，耳新乎其所闻，则其心洒然而醒，更欲久而忘归也。故即其所以然而为名，取韩子退之《北湖》之诗云。噫！其可谓善取乐于山泉之间，而名之以见其实又善者矣。

虽然，公之作乐，吾能言之。吾君优游而无为于上，吾民给足而无憾于下，天下之学者，皆为材且良；夷狄、鸟兽、草木之生者，皆得其宜，公乐也。一山之隅，一泉之旁，岂公乐哉？乃公所以寄意于此也。

若公之贤，韩子殁数百年而始有之。今同游之宾客，尚未知公之难遇也。后百千年，有慕公之为人，而览公之迹，思欲见之，有不可及之叹，然后知公之难遇也。则凡同游于此者，其可不喜且幸欤？而巩也，又得以文词托名于公文之次，其又不喜且幸欤！

庆历七年八月十五日记。

**【译文】**

在滁州的西南面，一泓泉水的旁边，欧阳公任知州的第二年，建造了一个名叫“丰乐”的亭子，并亲自作记，以表明这个名称的由来。不久以后，又在丰乐亭的东面几百步，找到一个山势较高的地方，建造了一个叫“醒心”的亭子，让我作记。

每逢欧阳公与州里的宾客们到这里游览，就肯定要到丰乐亭喝酒。有时喝醉了，就一定要登

上醒心亭眺望。那里群山环抱、云雾相生、旷野无垠、草木茂盛、泉水嘉美，所见到的美景使人眼花缭乱，所听到的泉声使人为之一振。于是心胸顿觉清爽、洒脱而酒醒，更想久留而不返回了。所以就根据这个缘故给亭命名为“醒心亭”，是取自韩退之的《北湖》诗。啊！这大概可以称得上是善于在山水之间寻找快乐，又用所见到的美景来给它命名吧，这就更有水平了。

尽管这样，我是能够说出欧阳公真正的快乐的。我们的皇帝在上悠然自得，无为清静；我们的百姓在下丰衣足食，心无不满；天下的学者都能成为良材；四方的少数民族以及鸟兽草木等生物都各得其宜。这才是欧阳公真正的快乐啊！一个山角落，一汪清泉水，哪里会是欧阳公的快乐所在呢？他只不过是在这里寄托他的感想啊！

像欧阳公这样的贤人，韩愈死后几百年才产生一个。今天和他同游的宾客还不知道欧阳公那样的贤人是很难遇到的。千百年后，有人仰慕欧阳公的为人，瞻仰他的遗迹，而想要见他的人，就会因没有与他同时代而感叹。到那时，才知道遇到欧阳公真难。如此说来，凡是现在与欧阳公同游的人，能不感到欢喜和幸运吗？而我曾巩又能够用这篇文章托名在欧阳公文章的后面，又能不欢喜和庆幸吗？

庆历七年八月十五日记。

# 抚州颜鲁公祠堂记

**【题解】**

本文通过记叙颜真卿誓死反对叛乱，敢于触犯权贵的翔实事例，赞美了一代书坛大师精忠报国、英勇无畏、耿介正直的崇高品格。

**【原文】**

赠司徒鲁郡颜公，讳真卿，事唐为太子太师，与其从父兄杲卿，皆有大节以死。至今虽小夫妇人，皆知公之为烈也。初，公以忤杨国忠斥为平原太守，策安禄山必反，为之备。禄山既举兵，公与常山太守杲卿伐其后，贼之不能直窥潼关，以公与杲卿挠其势也。在肃宗时，数正言，宰相不悦，斥去之。又为御史唐旻所构，连辄斥。李辅国迁太上皇居西宫，公首率百官请问起居，又辄斥。代宗时，与元载争论是非，载欲有所壅蔽，公极论之，又辄斥。杨炎、卢杞既相德宗，益恶公所为，连斥之，犹不满意。李希烈陷汝州，杞即以公使希烈，希烈初惭其言，后卒缢公以死。是时公年七十有七矣。

天宝之际，久不见兵，禄山既反，天下莫不震动，公独以区区平原，遂折其锋。四方闻之，争奋而起，唐卒以振者，公为之倡也。当公之开土门，同日归公者十七郡，得兵二十余万。繇此观之，苟顺且诚，天下从之矣。自此至公殁，垂三十年，小人继续任政，天下日入于弊，大盗继起，天子辄出避之。唐之在朝臣，多畏怯观望。能居其间，一忤于世，失所而不自悔者寡矣。至于再三忤于世，失所而不自悔者，盖未有也。若至于起且仆，以至于七八，遂死而不自悔者，则天下一人而已，若公是也。公之学问文章，往往杂于神仙、浮屠之说，不皆合乎理，及其奋然自立，能至于此者，盖天性然也。故公之能处其死，不足以观公之大。何则？及至于势穷，义有不得不死，虽中人可勉焉，况公之自信也与！维历忤大奸，颠跌撼顿至于七八，而终不以死生祸福为秋毫顾虑，非笃于道者不能如此，此足以观公之大也。

夫世之治乱不同，而士之去就亦异，若伯夷之清，伊尹之任，孔子之时，彼各有义。夫既自比于古之任者矣，乃欲睠顾回隐，以市于世，其可乎？故孔子恶鄙夫不可以事君，而多杀身以成仁者。若公，非孔子所谓仁者欤？

今天子至和三年，尚书都官郎中、知抚州聂君厚载，尚书屯田员外郎、通判抚州林君慥，相与慕公之烈，以公之尝为此邦也，遂为堂而祠之。既成，二君过予之家而告之曰："愿有述。"夫公之赫赫不可尽者，固不系于祠之有无，盖人之向往之不足者，非祠则无以致其至也。

**闻其烈足以感人，况拜其祠而亲炙之者欤！今州县之政，非法令所及者，世不复议。二君独能追公之节，尊而祠之，以风示当世，为法令之所不及，是可谓有志者也。**

**【译文】**

追赠司徒的鲁郡颜公，名真卿，在唐朝担任太子太师，和他的堂兄颜杲卿，都保持崇高的气节而死。到现在即使普通男女，都知道他的忠烈。早先，颜公因为得罪杨国忠而被贬为平原太守，他猜测安禄山一定会谋反，为此做了准备。安禄山叛乱以后，常山太守颜杲卿攻打叛军的后方，叛军不能长驱直入潼关，就因为颜公与颜杲卿挡住他们的势头。在唐肃宗时，颜公多次直谏，宰相不高兴，颜公被贬离开朝廷。颜公又被御史唐旻陷害，连连被贬斥。李辅国逼迫太上皇迁居到西宫，颜公首先率领百官上表请问起居，又被贬斥。唐代宗时，与元载争论是非，元载想蒙蔽皇上，颜公上书竭力论说其弊病，又被贬斥。杨炎、卢杞相继在德宗时担任宰相，更加讨厌颜公的所作所为，连连贬斥他，还嫌不满足。李希烈攻下汝州，卢杞就派颜公为使前往招抚，李希烈起先因为颜公的怒斥而羞恼，最后把他缢死。这时颜公已经七十七岁了。

天宝年间，多年没有战争，安禄山谋反以后，天下无不震动。颜公凭着小小的平原郡，就阻止了叛军的攻势。四方听说后，争相奋起反击。唐朝最终得以振兴，就是颜公首倡的。当颜公大开土门要塞时，同一天归顺颜公的有十七郡，军队有二十多万。由此看来，只要顺应形势并有诚心，天下人就会服从他。从这时到颜公去世将近三十年，小人相继当政，天下越来越混乱，大盗不断起来谋反，皇帝只得出京避难。唐朝的在朝大臣，多数胆怯观望。处在这样的环境中，一次得罪当世权臣，丢掉官职而不后悔的已经很少了。至于再三得罪当世权臣，丢掉官职而不后悔的，几乎没有。至于像刚起来又跌倒，直到七八次，虽死也不悔改的，那么天下只有一个人，就是颜公。颜公的学问文章，往往掺杂着道教和佛教之说，并不都符合儒家的伦理，到他奋起自立，能达到这样的境地，都是天性造成的。所以仅从颜公能够正确地对待死亡，还不足以看出颜公的伟大。为什么？等到山穷水尽，按理不能不死，即使中等才德的人也会努力做到，何况颜公那样自信的人呢！颜公多次得罪大奸臣，遭贬受害七八次，始终不考虑自己的生死祸福，不是笃信大道的人不能达到这样的境界。这才足以看出颜公的伟大。

社会的治乱不同，士人的去留也不相同，像伯夷的清高，伊尹的以天下为己任，孔子的识时务，他们各有各的道义。既把自己与古代那些以天下为己任的人相比，而又瞻前顾后、回避隐藏，来讨好当世，这行吗？所以孔子厌恶小人不能很好侍奉君主，而赞美杀身成仁的人。像颜公，不就是孔子所说的仁者吗？

至和三年，尚书都官郎中、知抚州聂君厚载，尚书屯田员外郎、通判苏州林君慥，都仰慕颜公的忠烈，因为颜公曾经在这个地方做官，于是修建了祠堂来纪念他。祠堂建成以后，二位来我家拜访，他们对我说："希望写一篇文章记述这件事。"颜公的显赫伟大不可尽说，本来就不在于祠堂的有无。但人们对他的向往之情难以表达，如果没有祠堂就无法体现这种景仰之情。光听说他的忠烈事迹就足以感人，何况到祠堂来祭拜亲自受到熏陶呢？现在州县的政事，只要不是法令规定的，人们都不会加以讨论。聂、林二位偏能追念颜公的节操，尊敬他，纪念他，来感动当世，是没有法令规定的，这可以说是有崇高志向的人。

# 寄欧阳舍人书

**【题解】**

本文以书信的形式，从探讨铭文的写法入手，称颂了欧阳修的才德和影响。

**【原文】**

巩顿首载拜舍人先生：去秋人还，蒙赐书及所撰先大父墓碑铭。反复观诵，感与惭并。

夫铭志之著于世，义近于史，而亦有与史异者。盖史之于善恶，无所不书；而铭者，盖古之人有功德、材行、志义之美者，惧后世之不知，则必铭而见之。或纳于庙，或存于墓，一也。苟其人之恶，则于铭乎何有？此其所以与史异也。其辞之作，所以使死者无有所憾，生者得致其严。而善人喜于见传，则勇于自立；恶人无有所纪，则以愧而惧。至于通材达识，义烈节士，嘉言善状，皆见于篇，则足为后法。警劝之道，非近乎史，其将安近？

及世之衰，人之子孙者，一欲褒扬其亲而不本乎理。故虽恶人，皆务勒铭以夸后世。立言者既莫之拒而不为，又以其子孙之所请也，书其恶焉，则人情之所不得，于是乎铭始不实。

后之作铭者，常观其人。苟托之非人，则书之非公与是，则不足以行世而传后。故千百年来，公卿大夫至于里巷之士莫不有铭，而传者盖少。其故非他，托之非人，书之非公与是故也！

然则孰为其人而能尽公与是欤？非畜道德而能文章者，无以为也。盖有道德者之于恶人，则不受而铭之；于众人，则能辨焉。而人之行，有情善而迹非，有意奸而外淑，有善恶相悬而不可以实指，有实大于名，有名侈于实。犹之用人，非畜道德者，恶能辨之不惑，议之不徇？不惑不徇，则公且是矣。而其辞之不工，则世犹不传，于是又在其文章兼胜焉。故曰，非畜道德而能文章者，无以为也，岂非然哉？

然畜道德而能文章者，虽或并世而有，亦或数十年或一二百年而有之。其传之难如此，其遇之难又如此！若先生之道德文章，固所谓数百年而有者也。先祖之言行卓卓，幸遇而得铭，其公与是，其传世行后无疑也。而世之学者，每观传记所书古人之事，至其所可感，则往往衋然不知涕之流落也，况其子孙也哉？况巩也哉？其追睎祖德，而思所以传之之由，则知先生推一赐于巩而及其三世，其感与报，宜若何而图之？

抑又思，若巩之浅薄滞拙，而先生进之；先祖之屯蹶否塞以死，而先生显之。则世之魁闳

豪杰不世出之士，其谁不愿进于门？潜遁幽抑之士，其谁不有望于世？善谁不为，而恶谁不愧以惧？为人之父祖者，孰不欲教其子孙？为人之子孙者，孰不欲宠荣其父祖？此数美者，一归于先生。

既拜赐之辱，且敢进其所以然。所谕世族之次，敢不承教而加详焉。愧甚，不宣。巩再拜。

【译文】

曾巩叩头再拜舍人先生：去年秋天，我派去的人回来，承蒙您赐给书信和为先祖父所写的墓志铭。我反复阅览诵读，真是既感激又惭愧。

铭志这类文章能著称于世，意义和史书相近，但又有与史书不相同的地方。史书对于善恶之事没有不记载的，而铭文，却是古人中有些功德显著、操行出众、志向远大的事迹，恐怕后人不知道，就必须用铭文表现出来，或者放到家庙里，或者放到坟墓里，其用意是一样的。如果这个人是恶人，那么铭文有什么用？这就是它与史书的不同啊。铭文的写作，就是为了使死者没有遗憾，使活着的人能够表达自己的敬意。于是，好人喜欢自己的事迹流传于世，就会勇于树立榜样；恶人没有什么记载的，就会感到惭愧和恐惧。至于广博的才能，通达的见识，义烈的行为，高尚的志士，美好的言论，善良的行为，都会出现在铭文里，足以成为后人的楷模。这种警恶劝善的作用，不与史书相近，又与什么相近呢？

到了世道衰微的时候，做人子孙的，想要褒扬他的亲人，却不根据事理。所以即使是恶人，也一定要篆刻碑铭来向后人夸耀。写碑文的人既不能推辞不写，又因为是死者子孙请托，如果直写他的恶行，那么不合人之常情，于是铭文开始出现不实之词。后世写铭文的人，应当看看他的为人，如果请托的人不合适，那么，他写的内容一定不公正、不正确，就不能流行后世，传给后代。所以千百年来，从达官贵人到平民百姓都有碑铭，而能流传下来的却很少。这没有别的原因，是请托的人不合适，写的内容不公正、不正确的缘故。

既然如此，那么哪些人写铭文才能做到公正与正确呢？不是那些道德高尚、善写文章的人，是无法做到的。因为道德高尚的人对于恶人，就不会接受请托为他写铭文；对于一般的人，也是能加以辨别的。人的品行，有的心虽好而事迹不好，有的心怀奸诈而外表善良，有的好坏相距很远却又难以具体指出，有的实际高过名气，有的名声超过实际。就像使用人才一样，如果不是道德高尚的人怎能在辨别时不被迷惑，在评论时不徇私情呢？能做到不被迷惑、不徇私情，就可做到公正而且合乎事实了。但是，如果文章写得不好，还是不能在世上流传。于是又要求同时具备写文章的才能。所以说，如果不是道德高尚而又擅长写文章的人，是无法胜任的。难道不是这样吗？

然而，道德高尚而又擅长写文章的人，虽然可能当代就有，但也可能要几十年或者一二百年才有一个。铭文的流传如此困难，遇上会写文章的人也很困难。像先生这样道德文章兼备的人，当然是上面所说要几百年才会有的啊！我祖先的言论行为是很卓越的，幸而遇到先生给他作铭，铭文是公正的、合乎事实的，它能传给后世并流行于世，是必定无疑的。世上的读书人，每每看到史书中所载古人的事时，看到感人的地方，往往情不自禁流下眼泪，何况是他们的子孙呢！更何况是我呢！我追慕先祖的德行，思考它所以流传的原因，就知道先生将铭文赐给我，使我祖孙三代都蒙受恩德，我感激报答的心情，应当怎么来表达呢？

可是，像我这样学识浅薄、性情笨拙的人，却得到先生的提拔；像先祖那样困苦挫折、闭塞而死的人，却得到先生的表扬。那么，世上那些胸怀大志的豪杰，不遇时的志士，谁不愿进入您的门庭？那些遁迹山野、幽闷抑郁的士人，谁不期望在世上有所作为？好人谁不愿意做？坏人谁不感到羞愧和恐惧？做父亲、做祖父的，谁不想教育好自己的子孙？做儿子、孙子的，谁不想光耀自己的父亲和祖父呢？这几种美好的事情，全都应该归功于先生。

我对先生的屈尊赐铭既当拜谢，而且敢于冒昧地陈述我之所以这样感激的道理。来信所论及的我家族的世系，自当接受教诲详加审核。惭愧万分，书不尽意。曾巩再次拜谢。

## 战国策目录序

**【题解】**

本文是作者写的一篇书序，文中肯定了《战国策》一书的历史价值，但由于认识上的局限性，作者完全否定战国游士的政治活动和策略主张，这是我们应该加以明辨的。文章采用了对比论证的手法，显得旗帜鲜明。

【原文】

刘向所定《战国策》三十三篇，《崇文总目》称十一篇者阙。臣访之士大夫家，始尽得其书，正其误谬，而疑其不可考者，然后《战国策》三十三篇复完。

叙曰：向叙此书，言周之先，明教化，修法度，所以大治。及其后，谋诈用而仁义之路塞，所以大乱。其说既美矣，卒以谓此书战国之谋士度时君之所能行，不得不然。则可谓惑于流俗，而不笃于自信者也。

夫孔孟之时，去周之初，已数百岁，其旧法已亡，旧俗已熄久矣。二子乃独明先王之道，以谓不可改者，岂将强天下之主以后世之所不可为哉？亦将因其所遇之时、所遭之变，而为当世之法，使不失乎先王之意而已。二帝三王之治，其变固殊，其法固异，而其为国家天下之意，本末先后，未尝不同也。二子之道，如是而已。盖法者，所以适变也，不必尽同；道者，所以立本也，不可不一，此理之不易者也。故二子者守此，岂好为异论哉？能勿苟而已矣。可谓不惑乎流俗，而笃于自信者也。

战国之游士则不然，不知道之可信，而乐于说之易合；其设心，注意，偷为一切之计而已。

故论诈之便，而讳其败；言战之善，而蔽其患。其相率而为之者，莫不有利焉，而不胜其害也；有得焉，而不胜其失也。卒至苏秦、商鞅、孙膑、吴起、李斯之徒以亡其身；而诸侯及秦用之者，亦灭其国。其为世之大祸明矣！而俗犹莫之寤也。惟先王之道，因时适变，为法不同，而考之无疵，用之无弊。故古之圣贤，未有以此而易彼也。

或曰："邪说之害正也，宜放而绝之；则此书之不泯，其可乎？"对曰："君子之禁邪说也，固将明其说于天下，使当世之人皆知其说之不可从，然后以禁则齐。使后世之人，皆知其说之不可为，然后以戒则明。岂必灭其籍哉？放而绝之，莫善于是。是以孟子之书，有为神农之言者，有为墨子之言者，皆著而非之。至于此书之作，则上继《春秋》，下至楚、汉之起，二百四十五年之间，载其行事，固不可得而废也。"

此书有高诱注者二十一篇，或曰三十二篇；《崇文总目》存者八篇，今存者十篇。

**【译文】**

刘向所编定的《战国策》共三十三篇，《崇文总目》说它的第十一篇缺失。我到士大夫家访求，才全部找齐它们，校正了其中错误的地方，那些不能考明的地方暂时存疑，从此以后，《战国策》三十三篇又完整了。

叙曰：刘向给《战国策》所作的序，说周朝初期，实行教育感化，制定法令制度，所以天下大治。自那以后，计谋欺诈盛行，仁义之路被堵塞，所以天下大乱。他的说法都是很好的，但他在文章的最后，认为这本书是战国时代的谋士揣测当时国君所能实行的是什么，才不得不这样说。这可以说他被世俗的见解所迷惑，而不能坚定地相信自己的学说了。

孔子、孟子的时代，离周朝初年已经几百年了，周朝的老办法已经消失，旧的习俗已经消亡很久了。孔子、孟子就独自阐明先圣治国的原则，认为是不可改变的，难道是要强迫天下的国君做后世所办不到的事吗？他们只不过是要根据他们所生活的时代、所遭遇的变化，而提出当时应当实行的主张，使那些主张不背离先王们的用意罢了。二帝三王治理天下，他们的变革，本来各不相同，他们的办法，本来就有差别，但他们治理国家的用意，本末先后，未尝不相同。孔孟之道，就是这样罢了。法，只是用来适应变化的，不一定完全相同；道，是用来确立根本的原则，不能够不统一。这是不可改变的道理。所以孔子、孟子坚持这个原则，难道是喜欢提出不同的言论主张吗？只是能够做到不苟且罢了。他们可以说是不被世俗的见解所迷惑，而且能够坚定地相信自己的人。

战国时期的游说之士却不是这样，他们不懂得道是可信的，只希望他们的言论与国君的想法相符合；他们的居心用意，只是随便地提出一时权宜的策略罢了。所以他们谈论欺诈的好处，而讳言欺诈的失败；夸说战争的好处，而隐瞒战争的祸患。他们争相奔走游说的事，不是没有好处，但不会大于它的害处；不是没有所得，但不能超过所失。最后到苏秦、商鞅、孙膑、吴起、李斯这些人，因此而丧命；而任用他们的诸侯和秦国，也亡了国。游说之士的那套办法，是社会的大灾祸，这一点再明白不过了！但世俗之人对它还没有觉悟过来。只有先王之道，根据时代，适应变法，做法不同，对它加以考察，若它没有缺点，再用它治理国家，就不会发生弊病。所以古代的圣贤没有以先王的原则去与游士之说做交换的。

有人说："邪伪之说对正确的原则是有害的，应当弃绝它。那么《战国策》这本书不销毁，行吗？"我回答说："君子要禁止邪说的话，本来要向天下的人说明那些邪说，使当时的人都知道邪说不能信从，然后加以禁止才能使人认识；使后代的人，都懂得邪说不能照办，然后加以告诫才能使人明白。难道一定要毁灭这本书吗？要弃绝邪说，没有比这更好的办法了。因此孟子的书里，农家的学说、墨家的言论，都被记载下来并加以驳斥。至于《战国策》的写作，往上紧接着《春秋》，往下到楚、汉的兴起，共二百四十五年，记载了这期间的历史事迹，我们当然不能够废弃。"

这部书东汉高诱注解的有二十一篇，有人说是三十二篇；《崇文总目》中记有八篇，现在存在的共十篇。

# 王安石

王安石(1021－1086),字介甫,号半山。抚州临川(今江西省抚州市临川区)人。宋仁宗庆历二年(1042)进士。宋神宗熙宁二年(1069)任参知政事,积极推行变法。由于保守势力的激烈反对,王安石被罢相,变法失败。晚年的王安石退隐江宁,志不得遂,忧愤而死。

王安石是北宋著名的政治家,其散文长于说理,逻辑严谨,语言简朴无华。有《临川先生文集》。

## 读孟尝君传

**【题解】**

孟尝君向以喜欢延揽人才著称,并以此为人称道。王安石独具胆识,否定前人的定论,认为孟尝君其实并不善于“得士”,因为他赏识的都是一些鸡鸣狗盗之徒,而不是那些具有真才实学的栋梁之材。文章结构严谨,用词精炼,气势充沛。

**【原文】**

世皆称孟尝君能得士,士以故归之,而卒赖其力以脱于虎豹之秦。嗟呼！孟尝君特鸡鸣狗盗之雄耳,岂足以言得士？不然,擅齐之强,得一士焉，宜可以南面而制秦，尚何取鸡鸣狗盗之力哉？夫鸡鸣狗盗之出其门，此士之所以不至也。

【译文】

世上的人都称赞孟尝君善于网罗天下士人，因此很多士人投奔他，而他终于依靠这些人的力量，逃离了虎豹一样的秦国。唉！孟尝君不过是鸡鸣狗盗之徒的头目罢了，哪里谈得上善于网罗人才呢？否则，凭借齐国的强大，只要得到一个真正有才学的士人，就可南面称王，制服秦国，还需用什么鸡鸣狗盗之徒的力量呢？那些鸡鸣狗盗之徒在他门下出入，真正的士人也就不去投奔他了。

## 兴　贤

【题解】

文章说古论今，运用丰富而典型的事例，深入论证了国以用贤而兴，弃贤而亡的道理，发人深思。

【原文】

国以任贤使能而兴，弃贤专己而衰。此二者，必然之势，古今之通义，流俗所共知耳。何治安之世有之而能兴，昏乱之世虽有之亦不兴？盖用之与不用之谓矣。有贤而用，国之福也；有之而不用，犹无有也。商之兴也有仲虺、伊

**尹，其衰也亦有三仁；周之兴也同心者十人，其衰也亦有祭公谋父、内史过；两汉之兴也有萧、曹、寇、邓之徒，其衰也亦有王嘉、傅喜、陈蕃、李固之众。魏、晋而下，至于李唐，不可遍举，然其间兴衰之世，亦皆同也。由此观之，有贤而用之者，国之福也；有之而不用，犹无有也，可不慎欤？**

**今犹古也，今之天下亦古之天下，今之士民亦古之士民。古虽扰攘之际，犹有贤能若是之众，况今太宁，岂曰无之？在君上用之而已。博询众庶，则才能者进矣；不有忌讳，则谠直之路开矣；不迩小人，则谗谀者自远矣；不拘文牵俗，则守职者辨治矣；不责人以细过，则能吏之志得以尽其效矣。苟行此道，则何虑不跨两汉、轶三代，然后践五帝、三皇之涂哉？**

**【译文】**

国家因为任用贤明能干的人而兴旺，摈弃贤明能干的人且刚愎自用而导致衰败。这两者是必然的趋势，古今通用的道理，一般人都知道的。为什么太平盛世有贤才就能兴盛，昏乱之世即使有贤能却不兴旺呢？这就是在于任用还是不任用贤能罢了。有贤能并且加以任用，这是国家的福祉；有贤能却不加任用，犹如没有。商朝兴旺时有仲虺、伊尹，它衰落时也有三仁；周朝兴盛时有十个同心同德的人，它衰败时也有祭公谋父、内史过；两汉兴旺时有萧、曹、寇、邓等人，两汉衰败时也有王嘉、傅喜、陈蕃、李固这些人。魏晋以来，直至李唐，不可一一列举，然而这其间兴旺与衰败的时期，也都相同。由此看来，有贤能而又加以任用的，是国家的福祉；有贤能而不加以任用，犹如没有，能不谨慎吗？

现在犹如古代，现在的天下也是古代的天下，现在的士民也是古代的士民。古代即使在混乱之时，尚且有这么多贤能，何况现在是太平盛世，怎能说没有呢？在于皇上任用他们罢了。广泛地征询意见，那么有才能的人就能得到进用；没有忌讳，那么正直之路就会开通；不亲近小人，那么阿谀奉承就会远离；不被繁文俗礼所拘束，那么恪守职责的人就知道怎么施政；不因为别人细微的过失横加指责，能干的官吏的志向就会得到实现。如果能施行这样的办法，还担心什么不超过两汉和夏商周三代，然后继承五帝、三皇的传统呢？

## 答司马谏议书

**【题解】**

本文以书信的形式，逐一反驳了保守势力对变法举措的非难和攻击，体现了作者作为一个政治家坚持真理、体恤民情的可贵情操。

**【原文】**

某启：昨日蒙教，窃以为与君实游处相好之日久，而议事每不合，所操之术多异故也。虽欲强聒，终必不蒙见察，故略上报，不复一一自辩。重念蒙君实视遇厚，于反复不宜卤莽，故今具道所以，冀君实或见恕也。

盖儒者所争，尤在于名实。名实已明，而天下之理得矣。今君实所以见教者，以为侵官、生事、征利、拒谏，以致天下怨谤也。某则以谓：受命于人主，议法度而修之于朝廷，以授之于有司，不为侵官；举先王之政，以兴利除弊，不为生事；为天下理财，不为征利；辟邪说，难壬人，不为拒谏。至于怨诽之多，则固前知其如此也。

人习于苟且非一日，士大夫多以不恤国事、同俗自媚于众为善。上乃欲变此，而某不量敌之众寡，欲出力助上以抗之，则众何为而不汹汹？然盘庚之迁，胥怨者民也，非特朝廷士大夫而已。盘庚不为怨者故改其度，度义而后动，是而不见可悔故也。

如君实责我以在位久，未能助上大有为，以膏泽斯民，则某知罪矣；如曰今日当一切不事事，守前所为而已，则非某之所敢知。

无由会晤，不任区区向往之至。

【译文】

安石启：昨天承蒙您赐教，我私下里认为与您交往相处友好的时间很久了，但讨论国事却常常意见不合，这是彼此采取的政治主张不同的缘故。我虽然想强作解释，终究不能得到您的谅解，我不再一一为自己辩解。但又想到您待我很好，在信中不应该简慢草率，所以现在详细说明这样做的理由，希望您或许能够原谅我。

一般读书人所要争论的是“名称”和“实际”是否相符。“名称”和

“实际”关系明确了，那天下一切事物的道理也就清楚了。如今您指责我，说我侵官生事、一味征敛财富、拒绝旁人劝告，因而招致天下人怨恨。我却认为接受皇上的指令，在朝廷议定法令制度并修正它，然后交给有关部门去执行，不能说是侵犯官吏职权；奉行先王的政治主张，兴利除弊，不能说是惹是生非；为国家理财，不能算是征敛财富；驳斥邪说抨击那些巧言令色的人，不能说是拒绝他人劝告。至于怨恨诽谤我的人很多，那是我本来就预料到会这样的。

人们习惯于得过且过不是一天的事了，士大夫们大多以不关心国家大事、附和流俗、讨众人欢心为能事。皇上却要改变这种状况，我没有考虑敌人的多少，就想出力帮助皇上与他们对抗，那么，这些人怎么会不大吵大闹呢？盘庚迁都，怨恨他的是百姓，不只是朝廷上的士大夫。盘庚不因为有人怨恨，就改变他的主意，他考虑事情应当这样做，然后才行动，认为是正确的，就没有什么后悔的。

如果您指责我在位的时间很久，没有能帮助皇上大有作为，使百姓过上好日子，那我就知罪了。如果说现在什么事情都不该做，守着以前的老规矩就行了，那不是我所能接受的。

我和您没有机会见面，但对您实在仰慕得很啊。

## 伤仲永

**【题解】**

作者以方仲永从一个人人羡慕的神童变成为一个平庸之辈为例，说明了天才条件不足凭恃，后天的学习和教育才是成才的关键的道理。文章以活生生的事例为证，说理生动形象。

**【原文】**

金溪民方仲永，世隶耕。仲永生五年，未尝识书具，忽啼求之。父异焉，借旁近与之，即书诗四句，并自为其名。其诗以养父母、收族为意，传一乡秀才观之。自是指物作诗立就，其文理皆有可观者。邑人奇之，稍稍宾客其父，或以钱币乞之。父利其然也，日扳仲永环谒于邑人，不使学。

余闻之也久。明道中，从先人还家，于舅家见之，十二三矣。令作诗，不能称前时之闻。又七年，还自扬州，复到舅家，问焉，曰："泯然众人矣。"

王子曰："仲永之通悟，受之天也。其受之天也，贤于材人远矣。卒之为众人，则其受于人者不至也。彼其受之天也，如此其贤也，不受之人，且为众人。今夫不受之天，固众人，又不受之人，得为众人而已耶？"

**【译文】**

江西金溪县有一个人，叫方仲永，他家世代种田。仲永五岁前，从没有见过文具书本。有一天，他忽然啼哭着要这些东西。他父母很奇怪，就从邻居家借来给他，他当即写了四句诗，并题了自己的名字。他写的诗，以赡养父母和团结同族人为内容，给同乡的秀才看。从此，人们指着某种东西为题，叫他做诗，他就立刻写出来，语言内容都值得一看。乡里人听说后都很惊奇，渐渐地就有人请他父亲带他去做客，也有人用钱来讨取仲永写的诗。他的父亲以为这样有利可图，就每天拉着仲永到处拜见乡里人，不让他学习。

我听说这件事已经很久了。明道年间，我跟随父亲回家，在舅舅家见到了方仲永，那时他已经十二三岁了。我叫他做诗，已经和从前的传闻不相符合。又过了六七年，我从扬州回乡，再次到舅舅家，问起方仲永的情况，回答说："他特异的才华消失了，跟普通人一样了。"

我说："仲永的聪明，是天生的。他的天赋，远远胜过那些经过努力学习而成才的人。但是他却成了一个平凡的人，这是因为他后天没有受到教育的缘故。像他这样天分很高的人，由于没有受到良好的教育而成为普通人，那么那些天分本来不高的普通人，又不读书学习，还能够做一个普通的人吗？"

# 游褒禅山记

**【题解】**

在这篇游记中，作者通过写游褒禅山的感受，向人们揭示了这样一个哲理：无论是游山还是治学、干事业，只有立志向，练内功，才能在一定的环境作用下独揽胜景，登上事业的顶峰。

**【原文】**

褒禅山，亦谓之华山，唐浮图慧褒始舍于其址，而卒葬之，以故其后名之曰"褒禅"。今所谓慧空禅院者，褒之庐冢也。距其院东五里，所谓华山洞者，以其乃华山之阳名之也。距洞百余步，有碑仆道，其文漫灭，独其为文犹可识，曰"花山"。今言"华"如"华实"之"华"者，盖音谬也。

其下平旷，有泉侧出，而记游者甚众，所谓前洞也。由山以上五六里，有穴窈然，入之甚寒。问其深，则其好游者不能穷也，谓之后洞。余与四人拥火以入，入之愈深，其进愈难，而其见愈奇。有怠而欲出者，曰："不出，火且尽。"遂与之俱出。盖予所至，比好游者尚不能十一，然视其左右，来而记之者已少。盖其又深，则其至又加少矣。方是时，予之力尚足以入，火尚足以明也。既其出，则或咎其欲出者，而予亦悔其随之而不得极夫游之乐也。

于是予有叹焉。古人之观于天地、山川、草木、虫鱼、鸟兽，往往有得，以其求思之深而无不在也。夫夷以近，则游者众；险以远，则至者少。而世之奇伟、瑰怪、非常之观，常在于险远，而人之所罕至焉，故非有志者不能至也。有志矣，不随以止也，然力不足者，亦不能至也。有志与力，而又不随以怠，至于幽暗昏惑而无物以相之，亦不能至也。然力足以至焉，于人为可讥，而在己为有悔；尽吾志也而不能至者，可以无悔矣，其孰能讥之乎？此予之所得也。

余于仆碑，又以悲夫古书之不存，后世之谬其传而莫能名者，何可胜道也哉！此所以学者不可以不深思而慎取之也。

四人者：庐陵萧君圭君玉，长乐王回深父，余弟安国平父、安上纯父。

至和元年七月某日，临川王某记。

**【译文】**

褒禅山也叫华山，唐朝和尚慧褒开始在这里住，死后也葬在这里，因此后人就称这山为褒禅山。现在的“慧空禅院”就是当时慧褒的住房和死后的墓地。距离这院子东五里，有一个华山洞，是因为它在华山的南面而取名的。距洞口一百多步的地方，有块石碑倒在路旁，碑文已经模糊不清，唯独碑额大字还可辨识出“花山”二字。如今读成

“华”，如同“华实”的“华”，大概是把音读错了。

洞里地势平坦，有股泉水从侧面流出，而且游人题字很多，这就是前洞。从这里向山上走五六里，有洞穴深远幽暗，进去感到很冷，若问这洞有多深，就是那些爱好游玩的人也走不到尽头，这就是后洞。我和同游的四个人拿着火把进去，进入越深，前进就越困难，然而看到的景色就越奇妙。有一个走累了而想出去的人说：“如果不出去，火把就要灭了。”于是大家就和他一起出来了。大概我们所到的地方，还不及那些爱好游览的人所到地方的十分之一，但是两边游人题记已经很少了。大概进入更深，所到的人会更少。当时，我的体力本来还可以继续往前走，火把还可以照明一段时间。于是出来后，就有人责怪那位想出来的人，我也后悔跟他们一起出来了，而没能充分享受这次游玩的快乐。

于是，我有些感慨。古人观察天地、山川、草木、虫鱼、鸟兽，往往有所心得，这是因为他们思考问题既深入又全面的缘故。道路平坦且距离又近的地方，游览的人就多；道路危险而距离又远的地方，游览的人就少。可是，世上雄伟、奇丽、不寻常的景色，往往在危险遥远、人们很少到达的地方。所以没有意志的人，是不能达到的。有了坚定的意志，又不随着别人停止，但体力不够，也不能到达。有意志和体力，且又不盲从别人，可是到了幽深昏暗的地方，如果没有火把之类的物质来帮助，也同样不能到达。然而，在体力足够到达的条件下没有到达，别人看来是可笑的，自己也有些后悔。如果尽了自己的努力还达不到，那就没什么后悔的了，别人怎么会讥笑呢？这就是我这次游褒禅山的心得。

对于那块倒塌的石碑，我又叹惜古代文献没有留存下来，后人以讹传讹而不能弄清事情真相。类似这样的事，真是说不完。这是今天读书人不可以不深刻思考和慎重取舍的道理。

同游的四个人是：庐陵的萧君圭，字君玉；长乐的王回，字深父；我的四弟安国，字平父；七弟安上，字纯父。

至和元年七月某日，临川人王某记。

# 苏　轼

苏轼(1037－1101),字子瞻,号东坡居士。眉州眉山(今四川眉山)人,是苏洵的长子。宋仁宗嘉祐二年(1057)进士。个性鲜明,仕途坎坷,一生中数遭贬谪,先后被贬至黄州、惠州、儋州等地,最后因病卒于常州。

苏轼多才多艺,在文学艺术的各个方面都造诣颇高。他的词作,雄奇阔大,豪迈奔放,成为词坛豪放派的先导。其诗歌咏自然,独抒灵性。其书法与米芾、蔡襄、黄庭坚并称"宋四家"。其散文强调"辞达"和"求物之妙"的表达效果,与韩、柳、欧三家并称。有《东坡全集》、《东坡乐府》等。

## 留侯论

**【题解】**

本文是苏轼为数不多的议论文之一,作者在探讨论述张良的成功之道时,不论他的智与谋,而格外推崇他的一种难得的心理特质——忍,认为能忍才是张良成就大事业的关键因素。可谓是独辟蹊径,发人之所未发。

**【原文】**

古之所谓豪杰之士者,必有过人之节。人

情有所不能忍者，匹夫见辱，拔剑而起，挺身而斗，此不足为勇也。天下有大勇者，卒然临之而不惊，无故加之而不怒，此其所挟持者甚大，而其志甚远也。

夫子房受书于圯上之老人也，其事甚怪，然亦安知其非秦之世有隐君子者出而试之？观其所以微见其意者，皆圣贤相与警戒之义。而世不察，以为鬼物，亦已过矣。且其意不在书。

当韩之亡、秦之方盛也，以刀锯鼎镬待天下之士，其平居无事夷灭者，不可胜数，虽有贲、育，无所复施。夫持法太急者，其锋不可犯，而其势未可乘。子房不忍忿忿之心，以匹夫之力，而逞于一击之间。当此之时，子房之不死者，其间不能容发，盖亦已危矣。千金之子，不死于盗贼，何者？其身之可爱，而盗贼之不足以死也。子房以盖世之才，不为伊尹、太公之谋，而特出于荆轲、聂政之计，以侥幸于不死，此固圯上之老人所为深惜者也。是故倨傲鲜腆而深折之。彼其能有所忍也，然后可以就大事，故曰："孺子可教也。"

楚庄王伐郑，郑伯肉袒牵羊以逆。庄王曰："其君能下人，必能信用其民矣。"遂舍之。勾践之困于会稽，而归臣妾于吴者，三年而不倦。且夫有报人之志，而不能下人者，是匹夫之刚也。夫老人者，以为子房才有余，而忧其度量之不足，故深折其少年刚锐之气，使之忍小忿而就大谋。何则？非有平生之素，卒然相遇于草野之间，而命以仆妾之役，油然而不怪者，此固秦皇之所不能惊，而项籍之所不能怒也。

观夫高祖之所以胜，而项籍之所以败者，在能忍与不能忍之间而已矣。项籍惟不能忍，是以百战百胜而轻用其锋。高祖忍之，养其全锋而待其弊。此子房教之也。当淮阴破齐而欲自王，高祖发怒，见于词色。由此观之，犹有刚强不忍之气，非子房其谁全之？

太史公疑子房以为魁梧奇伟，而其状貌乃如妇人女子，不称其志气。呜呼！此其所以为子房欤！

【译文】

古代所说的英雄豪杰，一定有过人的节操。人们在感情上总有不能容忍的事情，一般的人受到侮辱，就会拔剑而起，挺身决斗，这不是勇。天下有大勇的人，突然遭到意外也不会惊慌，无缘无故受到侮辱也不会发怒。这是因为他的抱负宏大，志向高远。

张良在桥上接受老人的兵书，事情虽奇怪，然而又怎么知道那不是秦朝的隐士出来试试张良呢？观察老人用含蓄的手法来表明意图，都是圣人贤士互相警戒的道理。可是人们不加考察，把他当做鬼怪，这就是很荒谬的。况且老人的用意也不在于授书。

当韩国灭亡、秦国兴盛的时候，秦用刀锯鼎镬这样的酷刑来对待天下的读书人，平白无故被杀害的人，不计其数。虽然有孟贲、夏育那样

的勇士，也没有施展本领的机会。执法太峻急的人，他的锋芒不可冒犯；而且当时的形势，也无机可乘。张良忍不住愤怒的心情，凭着个人的力量，想在一次伏击中达到目的。在那个时候，张良虽说没有送命，但与死仅差毫厘，实在太危险了！拥有千金的富贵子弟，没有死在盗贼的手上，这是为什么呢？因为他们知道自身的价值，不值得吝啬财物而死在盗贼手中。张良凭着盖世的才能不效法伊尹、姜太公的谋略，却采用荆轲、聂政的计策，侥幸逃生，这就是老人深感惋惜的原因，所以老人故意傲慢无礼，狠狠地折去他的锐气。如果他能忍受奇耻大辱，就可以成就大事业。所以老人最后对他说：“这位年轻人，值得教导！”

楚庄王攻打郑国，郑伯袒衣露体，牵着羊去迎接。庄王说：“他们的国君能够屈居人下，一定能取信于民。”便放弃了对郑国的进攻。勾践被围困在会稽，后来投降吴国，做了奴仆，三年都不敢懈怠。何况人有报复人的志向，可是不能屈居人下的，是匹夫的刚强。那位老人认为张良的才能有余，担心他的气量不足，因此狠狠地折去他少年刚锐的勇气，使他能够忍小怒成就大谋。为什么呢？老人和张良向来没有交往，突然相遇在野外，而且命令他做奴仆的事情，张良顺从，没有怪罪老人。这也就是秦始皇不能让他惊慌、项羽不能让他发怒的原因。

我看高祖之所以能够取得胜利，项羽之所以失败，就在于能忍与不能忍之间罢了。项羽因为不能忍耐，所以他虽然百战百胜，但轻易地消耗了他的兵力。高祖能够忍耐，保全了他的精锐部队，等待项羽实力的衰败。这就是张良教给他的方法。当韩信攻破齐国想为王时，高祖大发脾气，怒形于色。由此看来，高祖还是有刚强不能忍的脾气，如果不是张良，谁能成全他的大业呢？

太史公猜想张良是一个身材魁梧，长相奇伟的人，可是他的相貌却像妇人，跟他的志向、气度不相称。唉！这就是他之所以成为张良的缘故啊！

## 日 喻

**【题解】**

本文以盲人识日和北方人学潜水两个事例，生动而深刻地阐明了实践出真知这一道理，嘲讽了当时士大夫空谈儒道而不讲究实际学问的风气。

**【原文】**

生而眇者不识日，问之有目者，或告之曰："日之状如铜盘。"扣盘而得其声。他日闻钟，以为日也。或告之曰："日之光如烛。"扪烛而得其形。他日揣籥，以为日也。日之与钟、籥亦远矣，而眇者不知其异，以其未尝见而求之人也。道之难见也甚于日，而人之未达也，无以异于眇。达者告之，虽有巧譬善导，亦无以过于盘与烛也。自盘而至钟，自烛而至籥，转而相之，岂有既乎？故世之言道者，或即其所见而名之，或莫之见而意之，皆求道之过也。然则道卒不可求欤？苏子曰：“道可致而不可求。”何谓致？孙武曰：“善战者致人，不致于人。”子夏曰：“百工居肆，以成其事；君子学，以致其道。”莫之求而自至，斯以为致也欤！

南方多没人，日与水居也，七岁而能涉，十岁而能浮，十五而能没矣。夫没者岂苟然哉？必将有得于水之道者。日与水居，则十五而得其道；生不识水，则虽壮，见舟而畏之。故北方之勇者，问于没人，而求其所以没，以其言试之河，未有不溺者也。故凡不学而务求道，皆北方之学没者也。

昔者以声律取士，士杂学而不志于道；今也以经术取士，士知求道而不务学。渤海吴君彦律，有志于学者也，方求举于礼部，作《日喻》以告之。

【译文】

天生眼瞎的人不认识太阳，便向明眼人打听。有人告诉他说：“太阳的形状像铜盘。”盲人敲敲铜盘，听到了它发出的声音。有一天他听到钟声，就认为是太阳。又有人告诉他说：“太阳的亮光像蜡烛。”他摸摸蜡烛，知道了它的形状。有一天他摸到一支籥，就当是太阳。太阳与钟、籥差得太远了，但这个盲人不知道它们之间的区别，因为他从没有见过，只是向别人打听。道比太阳更难见，没有认识道的人，与盲人没有什么两样。已经认识道的人要告诉他，即使有巧妙的比喻，高明的指引，也不会超过用盘、烛做喻的水平。从盘到钟，从烛到籥，辗转相比，哪会有完？所以世上谈论道的人，有的只是就自己所见来解释它，有的并未见到什么，而来臆测它，都是强求道造成的过错。那么道终究是不可求的吗？我认为："道只可致而不可强求。"什么叫"致"呢？孙武说："善于打仗的人会让敌人自投罗网，自己却不受敌人牵制。"子夏说："工匠住在作坊里，完成他们的工作；君子通过学习，来认识道。"不去强求道而道自己光临，这就是"致"。

南方会潜水的人很多，因为他们每天都与水相伴，七岁就能趟水，十岁就会游泳，十五岁就能潜水。潜水难道随便就能学会吗？他们肯定是识水性了。每天和水相伴，十五岁就识水性；生下来不识水性的人，即使到了壮年，看见船还要害怕。所以北方的勇士，向潜水者打听，想得到潜水的方法，用他们所说的办法在河里一试，没有不溺水的。因此凡是不学习而想认识道的人，就好像北方人学潜水一样。

以前朝廷用诗赋选拔人才，读书人所学芜杂，不专心于道。现在用经学选拔人才，读书人只知道追求空洞的道而不去学习扎实的学问。渤海吴彦律是有志于学问的人，正准备参加礼部主持的考试，我就写了这篇《日喻》来勉励他。

# 黠鼠赋

**【题解】**

本文通过记叙一只老鼠以装死麻痹主人的意志而趁机逃脱的故事,生动而形象地阐明了这样的道理:一个人必须意志坚定,不为外物所动,才不会离道失节。

**【原文】**

苏子夜坐,有鼠方啮,拊床而止之,既止复作。使童子烛之,有橐中空。嘐嘐聱聱,声在橐中。曰:“嘻!此鼠之见闭而不得去者也。”发而视之,寂无所有,举烛而索,中有死鼠。童子惊曰:“是方啮也,而遽死耶?向为何声,岂其鬼耶?”覆而出之,堕地乃走,虽有敏者,莫措其手。

苏子叹曰:“异哉!是鼠之黠也。闭于橐中,橐坚而不可穴也。故不啮而啮,以声致人;不死而死,以形求脱也。吾闻有生,莫智于人。扰龙伐蛟,登龟狩麟,役万物而君之,卒见使于一鼠,堕此虫之计中,惊脱兔于处女,乌在其为智也?”

坐而假寐,私念其故,若有告余者,曰:“汝惟多学而识之,望道而未见也。不一于汝而二

**于物，故一鼠之啮而为之变也。人能碎千金之璧。而不能无失声于破釜，能搏猛虎不能无变色于蜂虿，此不一之患也。言出于汝，而忘之耶？”余俛而笑，仰而觉。使童子执笔，记余之作。**

**【译文】**

我在夜里独坐的时候，有一只老鼠正在咬东西，我便捶床吓唬它，可它停了一会儿又咬起来。于是我让童子拿着蜡烛照照，原来有一只空箱子，吱吱唧唧的声音就是从箱子中传出来的。我说：“呵！这只老鼠被关在箱子里出不来了。”我打开箱子一看，里面静悄悄的，什么也没有，举着蜡烛寻找，里面有只死老鼠。童子惊奇地说：“它刚刚还在咬东西，怎么突然就死了呢？刚才是什么声音，难道是鬼吗？”于是把箱子翻过来，倒出死老鼠。哪知那老鼠一落地就跑了。即使是动作很敏捷的人，也会措手不及。

我感叹说：“奇怪呀！这老鼠多狡猾。被关在箱子里，箱子很坚固，不能打洞。因此它不咬箱子却装着在咬，用声音来招引人；没有死却假装死了，装出死的样子来逃生。我听说所有的生灵中，没有比人更聪明的。人能够驯化神龙，捉住蛟龙，捕捉大龟，猎获麒麟，能役使万物，成为它们的主宰，结果却被一只老鼠支配，中了它的圈套，我惊叹它能像处女一样文静，突然间又像兔子一样逃跑了，人的聪明才智又在哪里呢？”

我坐下来闭目打盹，独自思考这件事的原因，好像有人告诉我说：“你只是多学了一点东西，记住了一些知识，望见了道但修养还达不到。你自己的精力不集中，容易受到外物的干扰，所以一只老鼠咬东西的声音，就能使你分散注意力。有时人能打碎价值千金的宝璧而不动声色，却对打破一口锅失声惊叫；能够与猛虎搏斗，见到蜂蝎一类的毒虫却吓得脸色苍白。这是精神不专一的毛病。这话是你说的，就忘了吗？”我低头笑笑，抬起头就觉悟了。于是让童子执笔，记下我写的这篇小赋。

## 石钟山记

**【题解】**

作者通过自己的实地考察，找出了石钟山命名的真正原因。此文的目的是为了弘扬一种求真务实的精神，批评“事不目见耳闻，而臆断其有无”的主观作风。

**【原文】**

《水经》云：“彭蠡之口，有石钟山焉。”郦元以为下临深潭，微风鼓浪，水石相搏，声如洪钟。是说也，人常疑之。今以钟磬置水中，虽大风浪不能鸣也，而况石乎？至唐李渤始访其遗踪，得双石于潭上。扣而聆之，南声函胡，北音清越，桴止响腾，余韵徐歇，自以为得之矣。然是说也，余尤疑之。石之铿然有声者，所在皆是也，而此独以“钟”名，何哉？

元丰七年六月丁丑，余自齐安舟行适临汝，而长子迈将赴饶之德兴尉，送之至湖口，因得观所谓“石钟”者。寺僧使小童持斧，于乱石间择其一二扣之，硿硿焉，余固笑而不信也。至莫夜月明，独与迈乘小舟，至绝壁下。大石侧立千尺，如猛兽奇鬼，森然欲搏人；而山上栖鹘，闻人声亦惊起，磔磔云霄间；又有若老人咳且笑于山谷中者，或曰："此鹳鹤也。"余方心动欲还，而大声发于水上，噌吰如钟鼓不绝，舟人大恐。徐而察之，则山下皆石穴罅，不知其浅深，微波入焉，涵澹澎湃而为此也。舟回至两山间，将入港口，有大石当中流，可坐百人，空中而多窍，与风水相吞吐，有窾坎镗鞳之声，与向之噌吰者相应，如乐作焉。因笑谓迈曰："汝识之乎？噌吰者，周景王之无射也；窾坎镗鞳者，魏庄子之歌钟也。古之人不余欺也。"

事不目见耳闻，而臆断其有无，可乎？郦元之所见闻，殆与余同，而言之不详；士大夫终不肯以小舟夜泊绝壁之下，故莫能知；而渔工水师，虽知而不能言，此世所以不传也。而陋者乃以斧斤考击而求之，自以为得其实。余是以记之，盖叹郦元之简，而笑李渤之陋也。

**【译文】**

《水经》说："鄱阳湖口有一座石钟山。"郦道元认为这座山下面临着深潭，每当微风吹起浪花，湖水和山石相互撞击，发出洪钟一样响亮的声音。对这些说法，人们常常怀疑。现在把钟和磬放在水里，即使有大风浪它们也一声不响，何况是石头呢？到了唐朝，李渤第一个探

访石钟山的遗踪，在潭上寻到两块石头，敲击它们，听声音，南面那块响声重浊含糊，北面那块声音清脆高扬，鼓槌停下，响声扬起，余音很久才消失。他自认为找到了石钟山命名的缘由。然而，对这种说法，我仍然怀疑。敲击后能发出响声的石头，到处都有，然而只有这里用钟来命名，这是为什么呢？

元丰七年六月丁丑这一天，我从齐安乘船前往临汝，大儿子苏迈将要到饶州德兴县任县尉，我送他到湖口，因而能够见到那被称作“石钟”的山。庙里的和尚让一个小孩拿着斧子，在乱石丛中选一两块敲敲，石头硿硿作响，我只是笑笑，不相信这就是石钟山得名的缘由。到了这天夜里，月色明朗，我独自和苏迈乘一小舟，来到悬崖绝壁下面。只见大石直立千尺，像猛兽和奇异的鬼怪，阴森森似乎要来捉人。山上栖息的猎隼听见人的声音也受惊飞起，在云端磔磔鸣叫。在山谷中又有像老人边咳嗽边笑的声音，有人说：“那是鹳鹤。”我心里吃惊，正想回去，却听见水上发出巨响，轰隆隆的就像撞击鼓的声音，一直不停，船夫非常害怕。我慢慢去察看，原来山下都是石洞石缝，不知它的深浅，微小的波浪打进去，水波奔腾激荡，就发出这样的响声。小舟驶回石钟山南北两山之间，将要进港时，有一块大石头挡在中流，上面大约可以坐一百人，中间是空的，并有许多小孔，它们和风、水互相吞吐，发出物体碰撞和钟鼓齐鸣的声音，跟前面那种轰隆隆的声音相应和，就像在演奏音乐。我就笑着对苏迈说：“你明白吗？轰隆隆的声音，就像是周景王的无射钟发出的；物体碰撞和钟鼓齐鸣的声音，就像是魏庄子的编钟发出的。古人没欺骗咱们呀。”

凡事没有亲眼看见、亲耳听见，就凭主观想象去断定它的有无，这样行吗？郦道元的所见所闻，大概和我相同，但他说得不详细。士大夫一般不肯乘着小船夜里停泊在悬崖绝壁之下，因此不能知道真相。而渔夫、船夫即使知道也无法这样说出来，这就是石钟命名缘由始终没有在世上流传开来的缘故。而见识浅陋的人竟用斧子敲击石头的办法来探求这个缘由，还自认为知道了真相。我所以记下事情的经过，一方面是惋惜郦道元的解释过于简单，另一方面又嘲笑李渤见识的浅陋。

## 超然台记

**【题解】**

本文是作者任密州知州时作，名为台亭作记，实际上是宣扬一种超然物外、随遇而安的人生态度。文章叙议结合，叙则细致，议则精当。

**【原文】**

凡物皆有可观。苟有可观，皆有可乐，非必怪奇伟丽者也。哺糟啜醨，皆可以醉；果蔬草木，皆可以饱。推此类也，吾安往而不乐？

夫所为求福而辞祸者，以福可喜而祸可悲

也。人之所欲无穷，而物之可以足吾欲者有尽。美恶之辨战乎中，而去取之择交乎前，则可乐者常少，而可悲者常多，是谓求祸而辞福。夫求祸而辞福，岂人之情也哉！物有以盖之矣。彼游于物之内，而不游于物之外。物非有大小也，自其内而观之，未有不高且大者也。彼挟其高大以临我，则我常眩乱反复，如隙中之观斗，又焉知胜负之所在？是以美恶横生，而忧乐出焉。可不大哀乎！

余自钱塘移守胶西，释舟楫之安，而服车马之劳；去雕墙之美，而蔽采椽之居；背湖山之观，而适桑麻之野。始至之日，岁比不登，盗贼满野，狱讼充斥；而斋厨索然，日食杞菊，人固疑余之不乐也。处之期年，而貌加丰，发之白者，日以反黑。余既乐其风俗之淳，而其吏民亦安余之拙也。于是治其园圃，洁其庭宇，伐安丘、高密之木，以修补破败，为苟全之计。而园之北，因城以为台者旧矣，稍葺而新之。时相与登览，放意肆志焉。南望马耳、常山，出没隐见，若近若远，庶几有隐君子乎！而其东则卢山，秦人卢敖之所从遁也。西望穆陵，隐然如城郭，师尚父、齐桓公之遗烈，犹有存者。北俯潍水，慨然太息，思淮阴之功，而吊其不终。台高而安，深而明，夏凉而冬温。雨雪之朝，风月之夕，余未尝不在，客未尝不从。撷园蔬，取

**池鱼，酿秫酒，瀹脱粟而食之。曰：乐哉游乎！**

**方是时，余弟子由适在济南，闻而赋之，且名其台曰“超然”，以见余之无所往而不乐者，盖游于物之外也。**

**【译文】**

凡是事物都有可供观赏的地方。假如有可以观赏的地方，就都有让人快乐的地方，不一定要是奇异壮丽才行。吃酒糟，喝淡酒，都可以叫人醉醺醺；水果蔬菜，都可以吃饱。以此类推，我去哪里会感到不快乐呢？

人们常说要寻求福祉而躲避灾祸，因为福祉是可喜的，灾祸是可悲的。人的欲望没有尽头，但可以用来满足我们欲望的物质是有限的。辨别美好与丑恶的意念在内心争斗，取舍的抉择在眼前交战，那么使人快乐的东西就常常减少，使人悲哀的东西却往往很多。这就叫做寻求灾祸而躲避福祉，这难道是人之常情吗？那都是因为受了外物蒙蔽呀。人们在物质利禄中游荡，而不能超出物质利禄之外。事物是没有大小差别的，从它的内部来看，没有什么事物不是高大的。它对我居高临下，那我就常常眼花缭乱，犹豫不定，就像从缝隙中看人争斗，又怎么会知道谁胜谁负呢？因此美好和丑恶交相产生，忧愁和快乐一并出现，这不是极大的悲哀吗！

我从钱塘调到胶西一带做知州，放弃了坐船的安逸，而经受车马颠簸的劳苦；离开了带有彩绘墙壁的华丽住宅，而蜗居在用柞木做椽的屋子里；背弃了湖光山色，而行走在生长着桑麻的田野地头。刚来的时候，这里连年歉收，到处是强盗小偷，案子多得不得了；厨房里空荡荡的，做不出什么像样的菜，只好每天吃枸杞、菊花，人们当然会认为我很不快乐。在这儿住了一年，我的脸渐渐丰润起来，白发也一天天返黑了。我已经喜欢上这里淳厚的民风，而这里的官吏和百姓也习惯了我的拙朴。于是，我整治果园菜园，打扫庭院屋宇，采伐安丘、高密的树木，来修补破败之处，作为苟且求安的打算。在园子北面，那座倚靠着城墙修建的高台已经很破旧了，稍微修葺一下使它变新一点儿，常常和人一起登台观景，在这里放开心境，纵情快乐。向南眺望，看见马耳山、常山，若隐若现，若近若远，或许那里住着隐士吧！而高台的东面就是卢山，那里是秦朝人卢敖隐居的地方。向西望是穆陵，隐约像城池，姜子牙、齐桓公的功业，还有留存。向北俯看是潍水，我不禁感叹，想起淮阴侯的功绩，而同情他的不得善终。这座城台高大结实，幽深敞亮，夏天凉爽，冬天暖和。雨雪纷飞的早晨，风清月明的夜晚，我没有不登台的，客人们也没有不跟我去的。我们采摘园子里的蔬菜，钓取池塘里的鱼儿，用高粱酿酒，拿糙米煮饭，大家都说：玩得真痛快啊！

当时，我弟弟子由正好在济南，听说了这些，就写一篇赋，并把这座台命名为“超然”，以表明我到哪里都不会不快乐的原因，就是因为我能够游心于物质利益之外啊。

# 喜雨亭记

**【题解】**

本文既喜亭成，又喜久旱得雨，表现作者对民生疾苦的深切关怀。全文以灵活多变的笔调，轻松幽默的风格，将儒家的“仁政”思想活灵活现地表现出来。

**【原文】**

亭以雨名，志喜也。古者有喜，则以名物，示不忘也。周公得禾，以名其书；汉武得鼎，以名其年；叔孙胜狄，以名其子。其喜之大小不齐，其示不忘一也。

余至扶风之明年，始治官舍，为亭于堂之北，而凿池其南，引流种木，以为休息之所。是岁之春，雨麦于岐山之阳，其占为有年。既而弥月不雨，民方以为忧。越三月，乙卯乃雨，甲子又雨，民以为未足；丁卯大雨，三日乃止。官吏相与庆于庭，商贾相与歌于市，农夫相与忭于野，忧者以乐，病者以愈，而吾亭适成。

于是举酒于亭上，以属客而告之，曰：“五日不雨可乎？”曰：“五日不雨则无麦。”曰：“十日不雨可乎？”曰：“十日不雨则无禾。”“无麦无禾，岁且荐饥，狱讼繁兴，而盗贼滋炽。则吾与二三子，虽欲优游以乐于此亭，其可得耶？今天不遗斯民，始旱而赐之以雨，使吾与二三子得相与优游而乐于此亭者，皆雨之赐也。其又可忘耶？”

既以名亭，又从而歌之，曰：“使天而雨珠，寒者不得以为襦；使天而雨玉，饥者不得以为粟。一雨三日，伊谁之力？民曰太守，太守不有，归之天子。天子曰不，归之造物。造物不自以为功，归之太空。太空冥冥，不可得而名。吾以名吾亭。”

**【译文】**

这亭子用“雨”来命名，是记录一件喜事。古代凡遇到喜事，就用这事儿来命名一种东西，表示不会忘记它。周公得到成王所赐的嘉禾，就用做书名；汉武帝得到一个宝鼎，就用来命名自己的年号；叔孙得胜打败异族，就用这事儿来给儿子起名字。这些喜事虽然有大有小，它们表示不忘记的意图是相同的。

我到扶风的第二年，开始建造官员住房，在厅堂北面修建了一个亭子，又在南面开凿池塘，将水引过来并栽上树木，就把这里当做休息的地方。这年春天，岐山南面的天上落下麦子，占卜的结果表明这年是丰收年。然而接着整月不下雨，百姓方才忧虑起来。到了三月的乙卯日，开始下雨，连下了三天才停。官吏一起在庭院里庆贺，做买卖的人高兴地一起在集市上唱歌，农民在田里开心得不得了，忧愁的人欢喜了，生病的人痊愈了，而我的亭子恰好在这时建成。

于是，我在亭子里向客人举杯劝酒，并问他们：“五天不下雨行吗？”

他们回答说:“五天不下雨就长不成麦子了。”“那么十天不下雨行吗?”他们回答说:“十天不下雨就种不活稻子了。”“假如没有麦子和稻子,就要连年闹饥荒,案件频发,强盗小偷猖獗。那我和你们几位,即使想要自由地在这亭子里享乐,哪里能做得到呢?现在老天爷不抛弃这些百姓,出现旱情便赐给他们大雨,使我和你们几位,能够一起在这亭子里自在地享乐,这都是一场大雨恩赐的呀。我们怎么能忘记这场雨呢?”

我已经用“雨”来给这个亭子命名,就再为它唱个歌吧。歌是这样唱的:“假如天上掉下珍珠,受冻的人不能当做衣裳;假如天上掉下白玉,挨饿的人不能当做食粮。一场大雨下了三天,那究竟是谁的力量?百姓说是太守,太守没有这样的神力;把它归功于皇帝,皇帝也不会同意;归功于造物主,造物主不认为那是自己的功劳;归功于太空,太空是那样虚无缥缈,没办法来命名它,我就用“雨”来命名我的亭子。”

## 凌虚台记

**【题解】**

本文记叙了凌虚台修筑的原因、过程及命名的由来,进而抒发了高台丽宫、人事得失皆不足恃的感叹,告诫人们不要被忽往忽来的尊荣富贵及世俗之物蒙蔽了心眼。

**【原文】**

国于南山之下,宜若起居饮食与山接也。四方之山,莫高于终南;而都邑之丽山者,莫近于扶风。以至近求最高，其势必得。而太守之居，未尝知有山焉。虽非事之所以损益，而物理有不当然者。此凌虚之所为筑也。

方其未筑也，太守陈公杖履逍遥于其下。见山之出于林木之上者，累累如人之旅行于墙外而见其髻也。曰："是必有异。"使工凿其前为方池，以其土筑台，高出于屋之檐而止。然后人之至于其上者，恍然不知台之高，而以为山之踊跃奋迅而出也。公曰："是宜名凌虚。"以告其从事苏轼，而求文以为记。

轼复于公曰："物之废兴成毁，不可得而知也。昔者荒草野田，霜露之所蒙翳，狐虺之所窜伏；方是时，岂知有凌虚台耶？废兴成毁，相寻于无穷，则台之复为荒草野田，皆不可知也。尝试于公登台而望，其东则秦穆之祈年、橐泉也，其南则汉武之长杨、五柞，而其北则隋之仁寿、唐之九成也。计其一时之盛，宏杰诡丽，坚固而不可动者，岂特百倍于台而已哉？然而数世之后，欲求其仿佛，而破瓦颓垣无复存者，既已化为禾黍荆棘丘墟陇亩矣，而况于此台欤！夫台犹不足恃以长久，而况于人事之得丧，忽往而忽来者欤？而或者欲以夸世而自足，则过矣。盖世有足恃者，而不在乎台之存亡也。"

既已言于公，退而为之记。

【译文】

在终南山下修建都城,似乎人们的起居饮食都与山连接到了一起。四方的山,没有哪一座比终南山更高;靠近终南山的城市,没有哪一座比扶风更近。从最近的地方望最高的山峰,从地势上来说,必然办得到。但扶风太守居住的地方,却未尝望见过山。虽然对政事不会产生什么坏处或好处,可是在情理上总是有些说不过去。这就是建造凌虚台的原因。

当这台尚未建造时,太守陈公拄着拐杖,逍遥自在地在下面散步,偶然看见高出近处林木的一些山峰,一座接一座的,像游人在墙外行走,但在大墙之内,只看到他们高高的发髻。便说:“这里一定有与众不同的景色。”就派工匠在它的前面凿了一个方方的池塘,把挖出的土用来筑台,高出屋檐之后才停止。台成之后,人们登临其上,恍恍然不觉忘记了台的高度,反而以为远处的山峦,奔腾踊跃,突然间从地下冒出。陈公说:“这个台的名字应该叫‘凌虚’。”于是他把这个意思告诉了他的佐吏苏轼,并要求写一篇文章把它记下来。

苏轼回答陈公说:“事物的兴废成毁,是不可预见知道的。从前,这里是荒草野地,蒙盖着寒霜白露,窜伏着毒蛇狡狐;当此之时,哪能知道将会有一个凌虚台呢?事物总是兴废成毁,相互交替,以至于无穷,那么这个台是否会再变为荒草野地,也都是不可预测的了。我曾经跟陈公登台远望,它的东面是秦穆公的祈年宫、橐泉宫,它的南面是汉武帝的长杨宫、五柞宫,它的北面是隋文帝的仁寿宫和唐太宗的九成宫。想见它们当时的盛况,宏伟杰出,奇异华美,坚固而不可动摇的气势,哪会只超过这个台的百倍而已呢?但是,经过数代之后,想要看到它们大致的模样,连破瓦断墙,都不再存在了。它们都变成长满庄稼的农田和荆棘丛生的荒丘了,更何况像这样的土台呢!这样的台尚且不足以保持长久，更何况人事得失，忽然来了又忽然去了呢？如果有人想以此向世人夸耀，而自我满足，那就错了。大概世上也有足以依靠的东西，但不在于一个台的存在或倒塌。”

我已经把这些话说给陈公听了，回来就写了这篇记。

# 放鹤亭记

**【题解】**

文章极力描写了鹤任情翱翔的身姿和隐士们自由自在的生活，反映了作者典型的出世思想。

**【原文】**

熙宁十年秋，彭城大水，云龙山人张君之草堂，水及其半扉。明年春，水落，迁于故居之东，东山之麓。升高而望，得异境焉，作亭于其上。彭城之山，冈岭四合，隐然如大环，独缺其西一面，而山人之亭适当其缺。春夏之交，草木际天；秋冬雪月，千里一色；风雨晦明之间，俯仰百变。山人有二鹤，甚驯而善飞。旦则望西山之缺而放焉，纵其所如，或立于陂田，或翔于云表；暮则傃东山而归。故名之曰“放鹤亭”。

郡守苏轼，时从宾客僚吏往见山人，饮酒于斯亭而乐之。挹山人而告之曰：“子知隐居之乐乎？虽南面之君，未可与易也。《易》曰：

‘鸣鹤在阴，其子和之。’《诗》曰：‘鹤鸣于九皋，声闻于天。’盖其为物，清远闲放，超然于尘埃之外，故《易》、《诗》人以比贤人君子。隐德之士，狎而玩之，宜若有益而无损者，然卫懿公好鹤则亡其国。周公作《酒诰》，卫武公作《抑戒》，以为荒惑败乱无若酒者，而刘伶、阮籍之徒以此全其真而名后世。嗟夫！南面之君，虽清远闲放如鹤者犹不得好，好之则亡其国；而山林遁世之士，虽荒惑败乱如酒者犹不能为害，而况于鹤乎？由此观之，其为乐未可以同日而语也。”

山人欣然而笑曰：“有是哉！”乃作放鹤招鹤之歌曰：“鹤飞去兮西山之缺，高翔而下览兮择所适。翻然敛翼，宛将集兮，忽何所见，矫然而复击。独终日于涧谷之间兮，啄苍苔而履白石。鹤归来兮，东山之阴。其下有人兮，黄冠草履，葛衣而鼓琴。躬耕而食兮，其余以汝饱。归来归来兮，西山不可以久留。”

元丰元年十一月初八日记。

**【译文】**

熙宁十年秋天，彭城发大水，云龙山人张天骥的草堂，水涨到大门的一半高。到第二年的春天，水退下去以后，他便搬迁到故居东边的东山脚下。登高远望，发现了一个奇异的地方，就在山上建了一个亭子。彭城的山四面合拢，隐约像个大环，唯独缺少大环西面的一小块，而山人的亭子，恰好正对着那个缺口。春夏交替时节，花草树木一直延伸到天边；秋冬下雪时节，几千里一片白茫茫。随着天气刮风下雨、晴朗阴沉的变化，这里的景色也瞬息万变。山人有两只鹤，非常驯服又善于飞翔。白天他望着西山的缺口放飞，任随它们飞到哪里。鹤有时停在田里，有时飞到云端，晚上就朝东山方向飞回来。所以把这亭子命名为“放鹤亭”。

郡守苏轼，经常带着客人、幕僚、官吏去看望山人，在这亭子里饮酒作乐。于是向山人敬酒，并且告诉他：“你知道隐居的快乐吗？即使是帝王，也不能拿隐居与他交换。《易经》里说：‘鹤在隐幽的地方鸣叫，它的小鹤也会随声应和。’《诗经》里说：‘鹤在深泽里鸣叫，叫声一直传到天上。’因为鹤这种动物，生性清高，闲逸放达，超脱于尘世之外，所以《易经》、《诗经》的作者把它比作贤人君子。隐居而有道德的人，亲近它，玩赏它，似乎是有益无害的。然而卫懿公喜欢鹤，却导致国家灭亡。周公作《酒诰》，卫武公作《抑戒》，认为使人荒唐迷惑，导致国家混乱亡国的，没有比酒更厉害的了，但刘伶、阮籍这些人却用它来保全自己的本性并留名后世。唉！作为帝王，即使是像鹤那样清高闲逸的飞禽也不能去喜欢把玩，喜欢了就要亡国。然而隐居山林、遁世避俗的人，即使迷恋使人变得荒唐比如像酒一样的东西，都不会有什么害处，何况是鹤呢？由此看来，国君和隐士的快乐是不可同日而语的。”

云龙山人听了，高兴地笑着说：“有这事吗？”于是写了一首招鹤放鹤的歌说："鹤从西山的缺口飞走啊，高高地飞翔着往下看啊，选择适当的地方停留。转身收起翅膀，好像要降落下来。忽然看见了什么，又矫健地重振翅膀奋飞而起。独自终日徘徊在山涧峡谷之间啊，嘴啄着苍苔，脚踏着白石。鹤啊，从东山的北麓飞回来吧。山下有一个人，头戴黄帽，脚穿草鞋，身着葛衣，正弹琴自娱。他自己种地，自食其力，还有多余的粮食可以喂你。回来吧，回来吧，西山不能久留。"

元丰元年十一月初八日记。

## 前赤壁赋

**【题解】**

文章描绘出了一幅如诗如画的赤壁秋夜图，表达了作者怡情造化、乐观旷达的人生态度。

**【原文】**

壬戌之秋，七月既望，苏子与客泛舟，游于赤壁之下。清风徐来，水波不兴。举酒属客，诵《明月》之诗，歌《窈窕》之章。少焉，月出于东山之上，徘徊于斗、牛之间。白露横江，水光接天。纵一苇之所如，凌万顷之茫然。浩浩乎如冯虚御风，而不知其所止；飘飘乎如遗世独立，羽化而登仙。

于是饮酒乐甚，扣舷而歌之。歌曰："桂棹兮兰桨，击空明兮溯流光。渺渺兮予怀，望美人兮天一方。”客有吹洞箫者，倚歌而和之。其声呜呜然，如怨如慕，如泣如诉，余音袅袅，不绝如缕，舞幽壑之潜蛟，泣孤舟之嫠妇。

苏子愀然，正襟危坐而问客曰：“何为其然也？”客曰：“‘月明星稀，乌鹊南飞’，此非曹孟德之诗乎？西望夏口，东望武昌，山川相缪，郁乎苍苍，此非孟德之困于周郎者乎？方其破荆州，下江陵，顺流而东也，舳舻千里，旌旗蔽空，酾酒临江，横槊赋诗，固一世之雄也，而今安在哉？况吾与子渔樵于江渚之上，侣鱼虾而友麋鹿，驾一叶之扁舟，举匏樽以相属。寄蜉蝣于天地，渺沧海之一粟。哀吾生之须臾，羡长江之无穷。挟飞仙以遨游，抱明月而长终。知不可乎骤得，托遗响于悲风。”

苏子曰：“客亦知夫水与月乎？逝者如斯，而未尝往也；盈虚者如彼，而卒莫消长也。盖将自其变者而观之，则天地曾不能以一瞬。自其不变者而观之，则物与我皆无尽也，而又何羡乎！且夫天地之间，物各有主，苟非吾之所有，虽一毫而莫取。惟江上之清风，与山间之明月，耳得之而为声，目遇之而成色，取之无禁，用之不竭，是造物者之无尽藏也，而吾与子之所共适。”

客喜而笑，洗盏更酌。肴核既尽，杯盘狼藉。相与枕藉乎舟中，不知东方之既白。

**【译文】**

壬戌年的秋天，七月十六日，我和客人们划着船到赤壁的下面游玩。清风徐徐吹来，江面不起波澜。我举杯劝客人同饮，朗诵《明月》中的诗句，歌唱《窈窕》中的篇章。过了一会儿，月亮从东山上面升起，在斗、牛二星之间徘徊。白茫茫的雾气笼罩江面，映着月色的水光和天上的月光融成一片。我们听任苇叶般的小船，自由自在地漂浮在茫茫无际的江面。在辽阔的江中好像乘风飞去，不知道要停在哪里；飘飘忽忽，如同脱离了人世，生出翅膀飞向仙境。

这时候，大家喝着酒很快乐，我就扣着船舷唱起歌来。歌词是："桂木做的棹啊，兰木做的桨；击破清澈透明的江水啊，让船儿溯着浮动的波光逆流而上。恍惚渺茫啊，我的情怀；想着心中的美人啊，天各一方。"客人中有个会吹洞箫的，随着歌声的旋律伴奏起来，箫声呜咽，好像含着幽怨，又像怀着思慕，如泣如诉，余音袅袅，不绝如缕，简直能使潜藏深渊的蛟龙闻声起舞，使独居在孤舟上的寡妇哀哀哭泣。

我听了不禁动容，正襟危坐，问客人道："箫声为什么这样凄凉？"客人说："'月明星稀，乌鹊南飞'，这不是曹操的诗吗？西望夏口，东望武昌，山川缭绕，郁郁葱葱，这不是曹操被周瑜打败的地方吗？当曹操攻破荆州，打下江陵，顺长江东下的时候，战船千里相接，旌旗遮蔽天空，在船上洒酒祭江，横握着长矛赋诗，原本是不可一世的英雄，现在又在哪里呢？何况我和你像渔夫樵夫一样，生活在江湖山野之间，和鱼虾做伴侣，找麋鹿交朋友，驾着一叶扁舟，举着酒杯劝酒，像蜉蝣一样在天地间寄托着短暂的生命，渺小得像汪洋大海中的一粒粟。哀叹我们生命的短暂，羡慕长江不停地奔流。希望能和仙人一起遨游，想要和明月一样不朽。我知道这一切不可能一下子得到，只好在秋风中借箫声寄愁。"

我说："您可也知道那江水和月亮的道理吗？江水虽然这样不停地流，但长江并没有流走；月亮老是这样一会儿圆一会儿缺，但它本身始终没有丝毫的增减。如果从它的变化来看，那么万物与我都是无穷无尽的，那我又何必羡慕它们呢？而且天地之间，万物各有其主，如果不是为我所有的东西，即使一丝一毫也不应当去取。只有这江上的清风，和山间的明月，耳朵听到的就成为声音，眼睛看到的就成为颜色，取走它们无人禁止，使用它们不会枯竭，这是大自然无尽的宝藏啊！是我和你可以共同享受的。"

客人高兴地笑了，洗净酒杯，重新斟酒。菜肴和果品都被吃光了，杯盘狼藉。大家相互为枕，在船中睡着了，不知不觉东方已经泛白了。

# 后赤壁赋

【题解】

文章描写了赤壁冬夜的景观，营造出一种萧瑟凄迷的意境，反映作者孤寂难诉的心境。

【原文】

是岁十月之望，步自雪堂，将归于临皋。二客从予，过黄泥之坂。霜露既降，木叶尽脱，人影在地，仰见明月。顾而乐之，行歌相答。

已而叹曰："有客无酒，有酒无肴；月白风清，如此良夜何？"客曰："今者薄暮，举网得鱼，巨口细鳞，状如松江之鲈。顾安所得酒乎？"归而谋诸妇。妇曰："我有斗酒，藏之久矣，以待子不时之需。"

于是携酒与鱼，复游于赤壁之下。江流有声，断岸千尺，山高月小，水落石出。曾日月之几何，而江山不可复识矣。予乃摄衣而上，履巉岩，披蒙茸，踞虎豹，登虬龙，攀栖鹘之危巢，俯冯夷之幽宫。盖二客不能从焉。划然长啸，草木震动，山鸣谷应，风起水涌。予亦悄然而悲，肃然而恐，凛乎其不可留也。返而登舟，放乎中流，听其所止而休焉。时夜将半，四顾寂寥。

适有孤鹤，横江东来，翅如车轮，玄裳缟衣，戛然长鸣，掠予舟而西也。

须臾客去，予亦就睡。梦一道士，羽衣蹁跹，过临皋之下，揖予而言曰："赤壁之游乐乎？"问其姓名，俯而不答。"呜呼噫嘻！我知之矣。畴昔之夜，飞鸣而过我者，非子也耶？"道士顾笑，予亦惊寤。开户视之，不见其处。

【译文】

这年十月十五日，我从雪堂出来，准备回到临皋。有两位客人与我一起走，经过黄泥坂时，霜露已经降临，树叶都落光了。我们的身影在地上移动，抬头仰望，一轮明月挂在天上。彼此相看，心情愉快，一边走一边对答诗歌。

过了一会儿，我叹息说："有客人却没有酒，有酒却没有菜。月色皎洁，清风吹拂，这样美好的夜晚，我们怎么度过呢？"客人说："今天傍晚，我撒网捕到一条鱼，大嘴巴，细鳞片，形状像松江的鲈鱼，可是到哪里去弄酒呢？"我就回去跟妻子商量，妻子说："我有一斗酒，保存很久了，以备你们临时的需要。"

于是，带着酒和鱼，再去赤壁下面游玩。江中的流水哗哗有声，断壁危岸有千尺之高；山高高的，月亮显得很小；水位下落，礁石便露出来了。时间并未过去多久，江山景物再也认不出来了。我就提起衣襟上岸，脚踏险峻的山岩，手斩杂乱的野草，蹲在虎豹般的怪石上，抓住虬龙般的树枝，攀上猛禽筑巢的险峰，俯瞰冯夷居住的深宫。两位客人不能跟着我再攀了。我站在高处一声长啸，引起草木的震动，山谷也发生了共鸣，风起浪涌。我不禁悲从中来，暗自忧伤；忽又感到惊恐

紧张，害怕得不敢久留。回到江边，乘上小船，划到江心，听任小船飘到哪里就在哪里停泊。这时快到夜半，我向四周瞧瞧，到处冷冷清清。恰好有一只孤零零的鹤，横飞过江，往东面来，它的翅膀像一对车轮，白身黑尾，发出嘎嘎的长鸣，掠过我们的船往西飞去。

过了一会儿，客人走了，我也回家睡觉。梦见一位道士，穿着羽毛制成的衣服，轻盈飘逸而来，经过临皋亭的下面，向我拱手作揖说："赤壁的游玩快乐吗？"我问他姓名，他低头不回答。"啊呀呀！我明白了。昨天夜里，边飞边叫经过我船上的，不就是你吗？"道士回头对我笑笑，我也惊醒了。开门来看，不知道他到哪里去了。

## 记承天寺夜游

**【题解】**

文章通过写与友人的月夜闲游，表现了作者落拓不羁、豁达闲适的心理。

**【原文】**

元丰六年十月十二日夜，解衣欲睡，月色入户，欣然起行。念无与为乐者，遂至承天寺寻张怀民。怀民亦未寝，相与步于中庭。庭下如积水空明，水中藻、荇交横，盖竹柏影也。

何夜无月？何处无竹柏？但少闲人如吾两人者耳。

【译文】

元丰六年十月十二日夜里，我脱了衣服正想睡觉，月光照进房中，我高兴地起身出门。想到身边没有可与我分享这快乐的人，就到承天寺寻找张怀民。怀民也还没睡，我们便一起在庭院散步。庭院中的月色仿佛一泓积水那样澄明清澈，只见其中水草交错，原来是竹子和松柏的影子。

哪一夜没有月光？哪一处地方没有竹子和松柏？只是缺少像我们这样的两个闲人罢了。

## 游沙湖

【题解】

文章记叙了作者和乡村医生庞安常的结识经过及与之同游沙湖之乐，反映了作者老当益壮、乐观积极的人生态度。

【原文】

黄州东南三十里为沙湖，亦曰螺师店。予买田其间，因往相田得疾。闻麻桥人庞安常善医而聋，遂往求疗。安常虽聋，而颖悟绝人，以指画字，书不数字，辄深了人意。余戏之曰：“余以手为口，君以眼为耳，皆一时异人也。”疾愈，与之同游清泉寺。寺在蕲水郭门外二里许，有王逸少洗笔泉，水极甘，下临兰溪，水西流。余作歌云：“山下兰芽短浸溪，松间沙路净无泥，萧萧暮雨子规啼。谁道人生无再少，君看流水尚能西，休将白发唱黄鸡。”是日剧饮而归。

**【译文】**

黄州东南三十里是沙湖，也叫螺师店。我在那里买了田，因为前往察看田地而得了病。听说麻桥人庞安常擅长医术，但他耳朵有点聋，于是前往求医。庞安常耳虽聋，但很聪明，理解力超人，他听不到别人的话，就用手指头写字表示他听懂的意思，写不了几个字，总是已经深深地了解了别人的意思。我跟他开玩笑说：“我用手作口，您用眼作耳，我们都是此时的奇人。”我的病好了以后，与他同游清泉寺。清泉寺在蕲水县城门外二里左右。那里有王羲之洗笔的水池，池水十分甘甜，下临兰溪，溪水向西流。我写了一首词道：“山下兰芽短浸溪，松间沙路净无泥，萧萧暮雨子规啼。谁道人生无再少，君看流水尚能西，休将白发唱黄鸡。”这一天畅饮后才回家。

## 方山子传

**【题解】**

在这篇人物小传中，作者用精简的笔墨，写出了方山子这位不慕荣利、豪爽侠义的奇人风范。含蓄地表达了作者的人生理想。

【原文】

方山子，光、黄间隐人也。少时慕朱家、郭解为人，闾里之侠皆宗之。稍壮，折节读书，欲以此驰骋当世，然终不遇。晚乃遁于光、黄间，曰岐亭。庵居蔬食，不与世相闻。弃车马，毁冠服，徒步往来山中，人莫识也。见其所著帽，方屋而高，曰："此岂古方山冠之遗像乎？"因谓之方山子。

余谪居于黄，过岐亭，适见焉。曰："呜呼！此吾故人陈慥季常也，何为而在此？"方山子亦矍然问余所至此者。余告之故。俯而不答，仰而笑。呼余宿其家，环堵萧然，而妻子奴婢皆有自得之意。

余既耸然异之。独念方山子少时，使酒好剑，用财如粪土。前十有九年，余在岐山，见方山子从两骑，挟二矢，游西山。鹊起于前，使骑逐而射之，不获。方山子怒马独出，一发得之。因与余马上论用兵及古今成败，自谓一世豪士。今几日耳，精悍之色犹见于眉间，而岂山中之人哉？

然方山子世有勋阀，当得官，使从事于其间，今已显闻。而其家在洛阳，园宅壮丽与公侯等。河北有田，岁得帛千匹，亦足以富乐。皆

**弃不取,独来穷山中,此岂无得而然哉?**

**余闻光、黄间多异人,往往佯狂垢污,不可得而见,方山子傥见之欤!**

**【译文】**

方山子是光州、黄州一带的隐士。年轻时仰慕汉朝著名的游侠朱家、郭解的为人,乡里侠士都十分崇拜他。随着年岁的增长,他改变志趣,发奋读书,想以此来施展抱负,干一番大事业,但始终都郁郁不得志。晚年就隐遁在光州、黄州间的岐亭。他身居草屋,只吃蔬菜,过着与世隔绝的生活。抛弃原有的车马衣帽,徒步在山里行走,谁也不认识他。人们看他戴的帽子高高耸起,就说:“这不是古代方山冠的样式吗?”因此就称他为方山子。

我贬官后住在黄州,一天路过岐亭,恰好遇见他。我不禁大叫:“啊呀!这是我的老朋友陈季常啊,怎么会在这里呢?”方山子也惊奇地问起我到这里来的缘由。我把我来这里的缘由告诉了他,他低头不语,忽然仰头大笑起来。邀我到他家住宿,他家徒四壁,但妻儿奴婢的脸上都露出满意的神色。

我对此感到十分惊异。我独自想起方山子年轻时的情景,他酗酒任性,又喜好剑术,花起钱来简直如粪土一般。十九年前,我在岐山时,看见方山子带着两个骑马的随从,胳膊底下夹着两支箭,到西山打猎。忽然有只喜鹊从前面飞过,方山子叫随从追上并射它,结果没射中。于是他独自策马直追,一箭射中目标。之后和我在马上大谈用兵之道及古今成败的经验教训,并自认为是一代豪杰。那时到现在才多长时间呀,精明强悍的神色,还显露在他眉宇之间,怎么会成为山中隐士呢?

方山子世代有功勋,本该做官的,假如他一心活动在官场,现在早已赫赫有名。他老家在洛阳，庭园房舍富丽堂皇，和公侯贵族一样。在黄河以北有田产，每年可收得千匹丝帛，这足够让他日子过得富足快乐。可他都放弃不要，独自来到这穷山沟之中，这难道说是没有法子才这样的吗？

我听说光州、黄州一带有很多异士，他们往往假装疯癫，满身污垢，我无缘见到他们。方山子或许见过他们吧！

# 苏　辙

苏辙(1039－1112),字子由,自称颍滨遗老,是苏轼的胞弟。宋仁宗嘉祐二年(1057)进士。因反对王安石变法,被贬出京,任河南府留守推官等地方官。后受兄"乌台诗案"等的影响,被贬为监筠州盐酒税。宋哲宗继位后,苏辙奉调入京,历任秘书省校书郎、右司谏、中书舍人、户部侍郎、吏部尚书、御史中丞等职。后又被贬化州别驾、雷州安置。晚年归隐许州。于宋徽宗政和二年(1112)病逝。

苏辙在文学上与乃父兄合称"三苏",但其行文立论,不落父兄窠臼,这使他能从父兄的巨大光环中走出,为世人所认同。著有《栾城集》。

## 黄州快哉亭记

**【题解】**

本文是作者记叙文中的代表作,当时作者被贬出京,他虽身处不利处境,却不消沉悲观,而能于山水之中找到快乐,表现出一种坦荡豁达的胸怀。

**【原文】**

江出西陵,始得平地,其流奔放肆大,南合沅、湘,北合汉、沔,其势益张。至于赤壁之下,波流浸灌，与海相若。清河张君梦得，谪居齐安，即其庐之西南为亭，以览观江流之胜，而余兄子瞻名之曰“快哉”。

盖亭之所见，南北百里，东西一舍。涛澜汹涌，风云开阖。昼则舟楫出没于其前，夜则鱼龙悲啸于其下。变化倏忽，动心骇目，不可久视，今乃得玩之几席之上，举目而足。西望武昌诸山，冈陵起伏，草木行列，烟消日出，渔夫樵父之舍，皆可指数。此其所以为“快哉”者也。至于长洲之滨，故城之墟，曹孟德、孙仲谋之所睥睨，周瑜、陆逊之所骋骛，其流风遗迹，亦足以称快世俗。

昔楚襄王从宋玉、景差于兰台之宫，有风飒然至者，王披襟当之，曰：“快哉此风！寡人所与庶人共者耶？”宋玉曰：“此独大王之雄风耳，庶人安得共之？”玉之言，盖有讽焉。夫风无雄雌之异，而人有遇不遇之变。楚王之所以为乐，与庶人之所以为忧，此则人之变也，而风何与焉？士生于世，使其中不自得，将何往而非病？使其中坦然，不以物伤性，将何适而非快？

今张君不以谪为患，窃会计之余功，而自放山水之间，此其中宜有以过人者。将蓬户瓮牖，无所不快，而况乎濯长江之清流，挹西山之白云，穷耳目之胜以自适也哉？不然，连山绝壑，长林古木，振之以清风，照之以明月，此皆

**骚人思士之所以悲伤憔悴而不能胜者，乌睹其为快也哉！**

**元丰六年十一月朔日，赵郡苏辙记。**

**【译文】**

长江从西陵峡流出后，才进入平原，江流奔放浩大。南面汇合沅江、湘江，北面汇合汉水、沔水，水势越来越大。到了赤壁下面，波浪翻涌，就像汪洋大海。清河人张君梦得被贬官后住在齐安，在他住宅的西南方修建了一座亭子，用来观赏大江奔流的胜景。我的兄长子瞻给它起名叫“快哉亭”。

在亭中所见的范围，南北有一百里，东西有三十里。只见波涛汹涌，风云变幻。白天船只在眼前出没，夜晚鱼龙在下面悲鸣。变化之快，令人触目惊心，不能长久观赏。如今却可以在亭中几席上面尽情赏玩，只要放眼就能看个够。向西遥望武昌群山，山陵起伏，草木成行，烟霭消散，太阳升起，渔人樵夫的房舍，都历历可数。这就是把亭子命名为“快哉”的缘故吧。至于那长长沙洲的沿岸，旧城的废墟，曹操、孙权在这里窥察，周瑜、陆逊在这里纵横驰骋，缅怀他们的风范和事迹，也足以让世人称快。

从前楚襄王带着宋玉、景差同游兰台宫，有一阵风飒飒吹来，楚襄王敞开衣襟迎着风说道：“痛快啊，这阵风！这是我和百姓共同享受的吧？”宋玉说：“这只是大王的雄风罢了，百姓怎么能和您共同享受它呢！”宋玉的话大概有讽喻的意思。那风并没有雌雄的区别，但人有得志和不得志的不同。楚襄王之所以感到快乐，百姓之所以感到忧愁，这是由于人的处境不同，与风有什么关系！读书人生活在世间，假如他心中不畅快，那么到哪里都会忧愁；假如他心中坦荡，不因为外物而损害性情，那么到哪里他都会快乐！

如今张君不把贬官当成祸患，利用处理公务的余暇，在山水之间纵情游览，这应当说是有超过常人的地方。即使用蓬草编成门，用破瓮作窗，也没有什么不快乐的；更何况在长江的清流中洗濯，观赏西山的白云，让耳目尽情享受江山美景来求得安适快乐呢！如果不是这样，山峦连绵，沟壑幽深，古木参天，清风徐来，明月高悬，这些都是伤感失意的文人士大夫因此而悲伤憔悴不能承受的景色，哪里能看出它们是令人快乐的呢！

元丰六年十一月初一，赵郡苏辙记。

## 武昌九曲亭记

**【题解】**

文章记叙了修建武昌九曲亭的情况及周围的山水风光，表现了苏轼对大自然的酷爱。全文写作手法灵活多变，融描写、叙述、议论于一体，恰当地表达了苏东坡宠辱不惊、以适意为乐的中心思想。

**【原文】**

子瞻迁于齐安，庐于江上。齐安无名山，而江之南武昌诸山，陂陁蔓延，涧谷深密，中有浮图精舍，西曰西山，东曰寒溪。依山临壑，隐蔽松枥，萧然绝俗，车马之迹不至。每风止日出，江水伏息，子瞻杖策载酒，乘渔舟乱流而南。山中有二三子，好客而喜游，闻子瞻至，幅巾迎笑，相携徜徉而上。穷山之深，力极而息，扫叶席草，酌酒相劳。意适忘反，往往留宿于山上。以此居齐安三年，不知其久也。

然将适西山，行于松柏之间，羊肠九曲而获少平，游者至此必息。倚怪石，荫茂木，俯视大江，仰瞻陵阜，旁瞩溪谷，风云变化，林麓向背，皆效于左右。有废亭焉，其遗址甚狭，不足以席众客。其旁古木数十，其大皆百围千尺，不可加以斤斧。子瞻每至其下，辄睥睨终日。一旦大风雷雨，拔去其一，斥其所据，亭得以广。子瞻与客入山视之，笑曰："兹欲以成吾亭耶？"遂相与营之。亭成而西山之胜始具，子瞻于是最乐。

昔余年少，从子瞻游，有山可登，有水可浮，子瞻未始不褰裳先之。有不得至，为之怅然移日。至其翩然独往，逍遥泉石之上，撷林卉，拾涧实，酌水而饮之，见者以为仙也。盖天下之乐无穷，而以适意为悦。方其得意，万物无以易之；及其既厌，未有不洒然自笑者也。譬之饮食，杂陈于前，要之一饱，而同委于臭腐。夫孰知得失之所在？惟其无愧于中，无责于外，而姑寓焉，此子瞻之所以有乐于是也。

**【译文】**

子瞻被贬谪到齐安，在长江边盖屋居住。齐安没有名山，而在长江南面的武昌群山，山势倾斜，蜿蜒曲折，涧谷深幽，中间有寺庙僧舍，西边的叫西山寺，东边的叫寒溪寺。它们背靠山梁，面临深壑，隐藏在松栎林中，环境清静与世隔绝，车马的踪迹从来不到。每当风息日出，江水缓缓流淌，子瞻拄着手杖，携带着酒食乘上渔船渡往江南。山中有几个朋友，待客热情且喜欢游览，听说子瞻来到，头裹幅巾笑着迎接他，相互搀扶着漫步上山。大家游到山的深处，累极了就休息，扫去树叶坐在草地上，相互斟酒问候，心情舒畅以至流连忘返，常常在山上留宿。因此，他在齐安住三年，也不觉得时间长久。

然后准备去游西山，在松柏之间行进，经过曲折的羊肠小道，才会发现稍微平坦的地方，游山的人到这里必停下休息。倚靠在怪石上，站在茂林荫处，俯瞰大江，仰观山峰，注视着四周的溪水陵谷，其中风云变幻无穷，山林的正面和背面景色各异，都呈现在游人面前。有一个废弃的亭子，它的遗址很狭小，坐不下很多的游客。亭子旁有几十株古树，其中大的都有百围粗千尺高，无法用斧子砍伐。子瞻与游伴进山察看，总是整天仰着头盯着那些树看。一天，狂风暴雨拔起一棵树，使其离开了所占据的地方，而使亭子的范围得以扩大。子瞻与客人入山游览，笑着说："这是要帮我建成我的亭子吧？"于是一齐动手营造亭子。亭子建成后，西山的胜景才齐备，子瞻对此感到非常高兴。

过去我年轻的时候，跟着子瞻游览。只要有山可以攀登，有水可以漂流，子瞻没有一次不是撩起衣裳走在我前头的。如有他不能去的地方，就会为此好几天闷闷不乐。至于有时候飘飘然独自前往，在清泉危石中间悠闲地游玩，摘取树林中的花草，采拾山涧中的果实，舀泉水饮用，看见的人都认为他是仙人。天下的乐事是无穷无尽的，但以心的快乐为最大的快乐。当他得意的时候，任何东西都不能与这种快乐交换。等到他满足的时候，没有一次不畅快地讥笑自己的天真。好比饮食，许多东西放在你面前，饱食一顿后又一同化为腐朽的东西，谁知道它的得失在哪里？只要无愧于心，外人又无从责备，姑且寄寓心意就可以了。这就是子瞻从这里得到快乐的原因所在。

# 六国论

**【题解】**

在这篇史论中，作者把六国灭亡的原因归结为六国的谋士昏昧不明，不了解当时天下大势；面对强大的秦国，六国不仅不能联兵抗秦，反而互相残杀。全文运用了正反对比论证的方法，有破有立，首尾呼应。

**【原文】**

尝读六国世家，窃怪天下之诸侯，以五倍之地、十倍之众，发愤西向，以攻山西千里之秦，而不免于灭亡。常为之深思远虑，以为必有可以自安之计。盖未尝不咎其当时之士虑患之疏，而见利之浅，且不知天下之势也。

夫秦之所与诸侯争天下者，不在齐、楚、燕、赵也，而在韩、魏之郊；诸侯之所与秦争天下者，不在齐、楚、燕、赵也，而在韩、魏之野。秦之有韩、魏，譬如人之有腹心之疾也。韩、魏塞秦之冲，而蔽山东之诸侯，故夫天下之所重者，莫如韩、魏也。

昔者范雎用于秦而收韩，商鞅用于秦而收

魏，昭王未得韩、魏之心，而出兵以攻齐之刚、寿，而范雎以为忧，然则秦之所忌者，可见矣。秦之用兵于燕、赵，秦之危事也。越韩过魏，而攻人之国都，燕、赵拒之于前，而韩、魏乘之于后，此危道也。而秦之攻燕、赵，未尝有韩、魏之忧，则韩、魏之附秦故也。夫韩、魏，诸侯之障，而使秦人得出入于其间，此岂知天下之势耶？委区区之韩、魏，以当虎狼之秦，彼安得不折而入于秦哉！韩、魏折而入于秦，然后秦人得通其兵于东诸侯，而使天下遍受其祸。

夫韩、魏不能独当秦，而天下之诸侯，藉之以蔽其西，故莫如厚韩亲魏以摈秦。秦人不敢逾韩、魏以窥齐、楚、燕、赵之国，而齐、楚、燕、赵之国，因得以自完于其间矣。以四无事之国，佐当寇之韩、魏，使韩、魏无东顾之忧，而为天下出身以当秦兵。以二国委秦，而四国休息于内以阴助其急，若此，可以应夫无穷，彼秦者将何为哉！

不知出此，而乃贪疆埸尺寸之利，背盟败约，以自相屠灭。秦兵未出，而天下诸侯已自困矣。至于秦人得伺其隙以取其国，可不悲哉！

**【译文】**

我曾经读过《史记》中的六国世家，私下里觉得奇怪，当时天下的那些诸侯，用五倍于秦的土地、十倍于秦的军民，决心努力向西，攻打崤山以西千里之大的秦国，却不能免于灭亡。我常常为此深思远虑，认为必定有一种能够保全自己的办法。因而我不得不责备当时那些谋士，对祸患的考虑太疏忽，对利害的见识太短浅，并且不大了解天下的大势。

秦国与诸侯争夺天下的地方，不在齐、楚、燕、赵等国，而在韩、魏的郊区；诸侯与秦国争夺天下的地方，也不在齐、楚、燕、赵各国，而在韩、魏的边境。对秦国来说，韩、魏二国的存在，就像人的心腹有了疾病。因为韩、魏二国堵塞了秦国的交通要道，掩蔽了崤山以东的诸侯国，所以天下最重要的地方，没有比得上韩、魏两国的。

从前，范雎被秦国重用后就主张攻取韩国，商鞅被秦国重用后就主张收取魏国。秦昭王在韩、魏二国没有真心降服时，就出兵攻打齐国的刚寿，范雎为此感到忧虑，那么，秦国所顾忌的事情是显而易见的。秦国出兵攻打燕、赵二国，对秦国来说是危险的事。因为越过韩、魏二国去攻打别国的首都，燕、赵二国会在前面坚决抵抗，韩、魏二国会在后面乘机截击，这是一条危险的道路啊。秦国出兵攻打燕、赵二国，没有产生韩、魏二国从后面袭击的忧虑，那是因为韩、魏二国已经归附秦国的缘故。韩、魏二国是其他诸侯国的屏障，却让秦国人在那里随便出入，这难道是了解天下的大势吗？抛弃弱小的韩、魏二国，让他们去抵挡虎狼般的强秦，他们怎能不转身投入秦国的怀抱呢？他们既然转身投入了秦国的怀抱，秦国的军队就会通过他们那里攻打东方的诸侯国，从而使天下各国都遭受战祸。

韩、魏二国是不能单独抵挡秦国的，天下的诸侯需要借它们作为自己西边的屏障，因此不如用优厚的条件加强与韩、魏二国的亲密关系，来共同抗拒秦国。秦国不敢越过韩、魏二国去攻打齐、楚、燕、赵等国，而齐、楚、燕、赵各国便可以在这种环境中自我保全了。用四个太平无事的国家，帮助韩、魏二国抵挡敌寇，使韩、魏二国没有后顾之忧，而为天下出力抵挡秦国的进攻。用两个国家对付秦国,让四个国家在后面得到休息,在暗中帮助解决二国的急难。这样,就可以应付任何情况,秦国还能有什么作为呢?

六国不知道从这方面想办法,却贪图边界尺寸土地的小利,背叛联盟,破坏条约,自相残杀。秦国的军队还没有出动,天下的诸侯国已自己搞得疲惫不堪了。结果使得秦国能够找到他们的空隙,夺取他们的国家,能不令人悲伤吗?

## 用重臣

**【题解】**

本文详尽地阐明了权臣和重臣的内涵及二者之间的区别,明确地提出了要用那些有胆识、有才能的重臣的政治主张。文章在写作上采取了对比论证的手法,旗帜鲜明,说理透彻。

**【原文】**

臣闻天下有权臣,有重臣,二者其迹相近而难明。天下之人,知恶夫权臣之为;而世之重臣,亦遂不容于其间。夫权臣者,天下不可一日而有;而重臣者,天下不可一日而无也。天下徒见其外,而不察其中,见其皆侵天子之权,而不察其所为之不类,是以举皆嫉之而无所喜,此亦已太过也。今夫权臣之所为者,重臣之所切齿;而重臣之所取者,权臣之所不顾也。将为权臣耶？必将内悦其君之心，委曲听顺，而无所违戾；外窃其生杀予夺之柄，黜陟天下，以见己之权，而没其君之威惠。内能使其君欢爱悦怿，无所不顺，而安为之上；外能使其公卿大夫、百官庶吏无所归命，而争为之腹心。上爱下顺，合而为一，然后权臣之势遂成而不可拔。至于重臣则不然，君有所为不可，则必争；争之不能，而其事有所必不可听，则专行而不顾，待其成败之迹著，则上之心将释然而自解。其在朝廷之中，天子为之踧然而有所畏，士大夫不敢安肆怠惰于其侧。爵禄庆赏，己得以议其可否，而不求以为己之私惠；刀锯斧钺，己得以参其轻重，而不求以为己之私势。要以使天子有所不可必为，而群下有所震惧，而己不与其利。何者？为重臣者，不待天下之归己；而为权臣者，亦无所事天子之畏己也。故各因其行事，而观其意之所在，则天下谁可欺者？臣故曰：为天下安可一日无重臣也！

且今使天下而无重臣，则朝廷之事，惟天子之所为，而无所可否。虽天子有纳谏之明，而百官畏惧战栗，无平昔尊重之势，谁肯触忌讳，冒罪戾，而为天子言者？惟其小小得失之际，乃敢上章，欢哗而无所惮；至于国之大事，安危存亡之所系，则将卷舌而去，谁敢发而受其祸？此人主之所大患也。悲夫！后世之君，徒见天下之权臣，出入唯唯，以为有礼，而不知此乃所以潜溃其国；徒见天下之重臣，刚毅果敢，喜逆其意，则以为不逊，而不知其有社稷之虑。二者淆乱于心，而不能辨其邪正，是以丧乱相仍而不悟，何足伤也！昔者卫太子聚兵诛江充，武帝震怒，发兵而攻之，京师至使丞相、太子相与交战。不胜而走，又使天下极其所往，而翦灭其迹。当此之时，苟有重臣出身而当之，拥护太子，以待上意之少解，徐发其所蔽，而开其所怒，则其父子之际，尚可得而全也。惟无重臣，故天下皆知之而不敢言。臣愚以为凡为天下，宜有以养其重臣之威，使天下百官有所畏忌，而缓急之间，能有所坚忍持重而不可夺者。窃观方今四海无变，非常之事，宜其息而不作。然及今日而虑之，则可以无异日之患；不然者，谁能知其果无有也，而不为之计哉？抑臣闻之，今世之弊，在于法禁太密。一举足不如律令，法吏且以为言，而不问其意之所属。是以虽天子之大臣，亦安敢有所为于法律之外，以安天下之大事？故为天子之计，莫若少宽其法，使大臣得有所守，而不为法之所夺。昔申屠嘉为丞相，至召天子之倖臣邓通，立之堂下，而诘责其过。是时，通几至于死而不救。天子知之，亦不以为怪，而申屠嘉亦卒非汉之权臣。由此观之，重臣何损于天下哉？

**【译文】**

我听说天下有权臣，有重臣，这两种人的言论和事迹相近而难以分明。天下的人都痛恨权臣专权；世上的重臣，也就不被人们所宽容。权臣这种人，天下一天也不能有；重臣，天下不能一天没有。天下人只看见了他们的外表，而没有看到他们的本质，看见他们都侵夺皇帝的权力，而没有看到他们的所作所为是不相同的，因此全都嫉恨而不喜欢他们，这也太过分了。其实权臣的所作所为，是重臣切齿痛恨的；重臣所取的东西，是权臣所不顾惜的。他将要做权臣吗？那么必将在宫内讨得皇帝的欢心，委曲求全，恭顺听话，从不违背；在朝廷外则操着生杀予夺的权力，任免天下的官吏，来表现自己的权威，掩蔽皇帝的威权和恩惠。内能使他的国君欢爱喜悦，无不顺心，心安理得地当他的皇上；外能使文武百官无不归顺听命，争着做他的心腹。国君喜爱他，百官顺从他，二者合而为一，然后权臣的势力就形成了，不可动摇了。至于重臣却不是这样，国君有做得不对的，他一定会谏争。谏争不起作用的话，他做事时必定有所不听，一意专行而不顾及，等他把事做成的时候，皇上的心情将变得轻松而自我宽解。他在朝廷时，皇帝对他惊惧不安而有所敬畏，士大夫不敢在他面前安闲怠惰。爵位赏赐，他有给与不给的权力，但他不谋求个人的恩惠；刑罚处置，他能够决定其轻重，而不谋求个人的权势。重要的是让皇帝知道什么事不能做，群臣有所畏惧，可是自己不从中捞取利益。为什么呢？做重臣的，不希望天下人都归顺自己；做权臣的，也不是要皇帝怕自己。所以，各人根据情况行事，看皇帝的意图而定，那么天下谁敢欺蒙他？我因此说，天下怎么可以一天没有重臣呢？

假使天下没有重臣，那么朝廷的事，将听任皇帝去做，没有做或者不做的选择。虽然皇帝有纳谏的贤明，但百官畏惧战栗，没有平时尊重的态势，谁敢触忌讳，冒着被降罪的危险，去对皇帝进言呢？只有那些小事情，才敢上奏章，大声议论而没有什么忌讳；遇到国家大事，关系到国家安危存亡时，却缄口不言而离开，谁敢发言招来祸害？这是国君的大患。可悲啊！后世的国君，只看见天下的权臣，出入时谦卑地应答，认为他彬彬有礼，却不知道他是在无形地腐蚀自己的国家；只看见天下的重臣，刚毅果敢，喜欢违背国君的意愿，就认为他不谦逊，却不知道他关心国家大事。这两种人在国君心里互相混淆，却不能辨别他们的邪恶与正直，因此亡国与混乱的事相接频繁发生，哪里值得伤心啊！从前，西汉的卫太子调集军队诛杀江充，汉武帝大怒，派兵攻打卫太子，在京城里，丞相和太子交战，太子战败逃走，汉武帝又尽调天下精兵前往，将太子消灭。在这个时候，如果有重臣挺身而出挡住这事，拥护太子，等待武帝的怒意稍微宽解，再慢慢地指出他所受的蒙蔽，开导他所气恼的事情，那么汉武帝和卫太子的父子关系，还能够保全。正因为没有重臣，所以天下人都知道却不敢说。愚意认为凡是拥有天下的国君，应该培养重臣的威望，使天下的百官有所畏惧，一旦发生紧急情况，能有坚韧不拔、老成持重而不可夺志的人。我看现在天下没发生什么变故，对突如其来的事变，应该使之平息，不让发生，如果能在现在考虑这些事，那就不会发生今后的祸患；不这样的话，谁能料到将来没有突然事变，而不及早对此加以考虑呢？我听说，现在的弊病，在于法令太严。一有什么事不合乎法律，掌管法律的官员就会议论，却不问他的用意是什么。所以即使是天子的大臣，又怎么敢在法律之外有所作为，来安定天下？因此为天子考虑，不如稍微放宽法度使大臣有法令恪守，但又不会为法令而被迫改变。从前申屠嘉担任丞相，把天子的宠臣邓通叫来，让他站在堂下，指责他的过失。这时，邓通几乎被置于死地而无法挽救。皇帝知道了，也不觉得奇怪，申屠嘉也不是汉朝的权臣。由此看来，重臣对天下有什么害处呢？

## 孟德传

**【题解】**

作者以不慕浮华的独到眼光，赞颂了孟德这个平凡的小人物身上的闪光之处。文章选材精当，运用巧妙，笔调冷隽，不动声色。

**【原文】**

孟德者，神勇之退卒也，少而好山林；既为兵，不获如志。嘉祐中，戍秦州，秦中多名山。德出其妻，以其子与人，而逃至华山下，以其衣易一刀十饼，携以入山。自念："吾禁军也，今至此，擒亦死，无食亦死，遇虎狼毒蛇亦死。此三死者，吾不复恤矣，惟山之深者往焉。"食其饼既尽，取草根木实食之。一日十病十愈，吐、利、胀、懑，无所不至。既数月，安之如食五谷，以此入山二年而不饥。然遇猛兽者数矣，亦辄不死。德之言曰："凡猛兽，类能识人气。未至百步，辄伏而号，其声震山谷。德以不顾死，未尝为动。须臾，奋跃如将搏焉，不至十数步，则止而坐，逡巡弭耳而去。试之，前后如一。"

后至商州，不知其商州也，为候者所执，德自分死矣。知商州宋孝孙谓之曰："吾视汝非恶人也，类有道者。"德具道本末，乃使为自告者，置之秦州。张公安道适知秦州，德称病，得除兵籍为民。至今往来诸山中，亦无他异能。

夫孟德可谓有道者也。世之君子皆有所顾，故有所慕，有所畏。慕与畏交于胸中，未必用也，而其色见于面颜，人望而知之。故弱者见侮，强者见笑，未有特立于世者也。今孟德其中无所顾，其浩然之气发越于外，不自见而物见之矣。推此道也，虽列于天地可也，曾何猛兽之足道哉？

**【译文】**

孟德，是禁军中的退伍士兵，年少时就喜爱山林。由于当了兵，所以没有实现他的愿望。嘉祐年间，他驻守秦州，秦州的辖区内有很多名山。孟德抛弃妻子，把儿子送给了别人，逃到华山脚下，用他的衣服换了一把刀和十个饼。他带了这些东西进入山中。他想："我是一名禁军士兵，现在到了这里，被捉住了是死，没有粮食也是死，遇到虎狼毒蛇还是死，反正三种结果都是死，我还顾虑什么呢？只能隐到大山深处了。"饼吃完了，他就用草根野果充饥。一天里病了多次，好了多次。呕吐、拉痢、腹胀、胸闷，什么病都有。可过了几个月，他食用草根野果就好像吃五谷杂粮一样。凭着这些本事，他入山两年了，也没有饿死。即使是几次遇到猛兽，也总能不死。孟德说："凡是猛兽，大都能够辨别人的气味，距离人不到百步，往往趴下来吼叫，吼声震山谷。我因为不再顾虑生死，所以从来不被惊动。不久，猛兽奋力跃起好像要跟我搏斗。相距不到十几步，它就停止攻击，蹲在地上，徘徊了一会儿便俯首帖耳走了。试了几次，都是一样。"

后来他到了商州，他不知道这里就是商州，被巡逻的士兵捉住了。孟德以为自己定会被处死。商州的知州宋孝孙对他说："我看你也不是一个坏人，好像是有德行的人。"孟德便把自己的经历从头到尾说了一遍。宋孝孙就把他当做是自首的人，安置在秦州。张安道恰好在秦州任知州，孟德自称有病，才得以解除兵籍，成为普通的老百姓。他到现在还在群山中往来，也没有特别的才能。

孟德可以说是一个有道德的人。世上的君子都有所顾忌，因此有所仰慕，有所畏惧。仰慕、畏惧的心情交织在胸中，不一定发生实际作用。可是那种神色在脸面上显现，别人一看就知道。所以软弱的人被侮辱，倔强的人被讥笑，在世上没有哪个能特立独行。如今孟德的心中没有顾虑，他的浩大刚正的气质焕发到身外，他自己见不到，可是别人却看得到。以此类推，即便是和天地并列也可以了，那些猛兽又算得了什么呢？